MEURTRE
À CINQ MAINS

JACK HITT
avec la collaboration de
Lawrence BLOCK, Sarah CAUDWELL,
Tony HILLERMAN, Peter LOVESEY,
Donald E. WESTLAKE

MEURTRE À CINQ MAINS

roman

TRADUIT DE L'AMÉRICAIN PAR
ROBERT PÉPIN

ÉDITIONS DU SEUIL
*27, rue Jacob, Paris VIe*

COLLECTION DIRIGÉE PAR ROBERT PÉPIN

Titre original : *The Perfect Murder*
Éditeur original : Harper Collins Publishers
ISBN original : 0-06-016340-2

ISBN 2-02-018289-0

Préface

Le crime parfait : la quête en est aussi vieille que l'homme lui-même. Caïn fut le premier à s'y essayer – et le premier à échouer. Son alibi – « Suis-je le gardien de mon frère ? » – est légendaire en ce qu'il tente de détourner le soupçon sur autrui. Mais les suspects étant peu nombreux à l'époque du jardin d'Éden (quatre, en comptant le serpent), le processus d'élimination s'avéra plus qu'efficace. Depuis lors, Caïn et sa descendance intellectuelle se sont montrés de plus en plus inventifs. Il n'est pas de génération qui ne voie quantité de génies détraqués mettre toute leur astuce à profiter des circonstances et de la technologie du moment pour perpétrer le crime parfait. Il n'en est pas non plus une seule qui ne voie des détectives tout aussi désireux d'appliquer la même astuce à attraper l'assassin. C'est de leur lutte qu'est né le genre littéraire connu sous le nom de « roman policier ».

A quelques exceptions près, ce type d'ouvrages dit le point de vue du détective. En plus d'offrir à l'intrigue le développement le plus sensé qui soit, raconter comment l'enquêteur attrape le coupable est ce qu'il y a de moins périlleux sous l'angle moral. L'auteur a la possibilité de fouiller dans les replis les plus sombres de l'âme humaine et de le faire en partant du terrain moral le plus noble qui soit, savoir : l'application triomphante de la loi. Il y a quelque temps de cela, dans les colonnes du *Harper's Magazine*, j'entrepris de redistribuer les cartes qui, dans cette tradition littéraire, ont noms : intrigue, acteurs et résolution de l'énigme. En guise d'incitation au dialogue, je créai le personnage de Tim, homme à la sensibilité années 90 et au portefeuille années 80. Pour des raisons qui ont beaucoup à voir avec les impératifs de l'art et de l'intérêt personnel, Tim arrête qu'il lui faut absolument assassiner son épouse, mais ne sait comment s'y prendre. Il consulte donc cinq auteurs de romans policiers : homme des années 90, il ne saurait rien faire sans d'abord solliciter l'opinion de quelque conseiller. Il croit en effet que si les hommes politiques agissent toujours ainsi, le criminel serait bien insensé de procéder autrement. Le premier article publié dans *Harper's Magazine* relatait l'entrevue entre Tim et ses employés d'un nouveau genre. Mais, après coup, Tim s'avisa soudain qu'aussi utile qu'il ait pu être de demander ainsi leurs avis à ces auteurs devant un bon repas, il servait peut-être mieux ses fins de permettre à chacun d'entre eux de réfléchir à ses solutions personnelles stylo en main – et en y mettant le temps qu'il fallait. Reprenant son labeur à zéro, il écrivit alors à chacun de ces experts. Ce qui suit n'est autre qu'une année de la correspondance qu'ils échangèrent à partir de ce moment-là, tout étant centré sur le problème du crime qui convient le mieux à notre époque et aux hommes que nous sommes.

Lettre de Tim

Mes chers amis,

Je vous écris parce que j'ai beaucoup à me plaindre de l'avilissement dans lequel le noble art de l'assassinat a sombré de nos jours. On ne peut prendre un journal sans y lire comment X ou Y s'est fait poignarder, tuer par balle ou pousser sous un train ou une voiture. C'est triste. Comme beaucoup d'enthousiastes, je regrette le bon vieux temps où les cocktails entre gens du beau monde permettaient d'échanger pléthore de recettes, de motifs, de plans et autres astuces meurtrières. Songez à la scène de *L'Inconnu du Nord-Express* d'Alfred Hitchcock où Robert Walker demande à deux superbes poules comment elles s'y prendraient pour tuer leurs maris. Ah, ce que la conversation peut s'animer tout d'un coup ! Ah que, pour et contre, les échanges sont vifs ! Rappelez-vous la manière dont, avec une candeur bien oubliée aujourd'hui, nos grandes dames comparent les mérites de la corde et du schlass !

Je pense que, comme beaucoup d'autres arts qui lui sont frères, celui de l'assassinat a été détruit par les forces horriblement niveleuses du capitalisme. Les plus fins praticiens se vendent au plus offrant et tous les arts en sont abaissés. Hélas, cela se voit partout. Qui ne grimace de dégoût en entendant nos divas croasser quelque aria de Noël dans le seul but de se faire quelques dollars de plus ? Comment peut-on supporter de voir nos plus grands danseurs putasser à la télévision en vantant les mérites de la dernière colle à appareil dentaire, voire du dernier baume à hémorroïdes ? Et nos romanciers qui en sont réduits à faire le boulot des agents littéraires, et nos poètes à pondre des vers de mirliton pour servir des candidats politiques de troisième zone ? Et pourtant, de temps en temps, il arrive qu'un grand artiste émerge du lot et que, renouvelant un genre fatigué, il purge les formes anciennes de tous leurs trucs et *clichés**. L'assassinat est, lui aussi, en manque de semblables artistes.

A l'heure où je vous écris ces lignes, je viens de finir de déjeuner. Tout le monde est parti, je suis seul dans ma maison et contemple la une du journal du matin. Que dit-elle ?

IL DÉBITE SON VOISIN AU BROYEUR À BOIS

Je ne suis pas certain de devoir vous rapporter les détails de la boucherie, ce qui saisit l'imagination du lecteur étant bien évidemment ce qui a fasciné le reporter : ce satané « broyeur à bois ». Le reste est d'un ennui tout ce qu'il y a de plus familier. Deux hommes, le vol d'une énorme somme d'argent – vous imaginez le reste.

* Les mots en italique suivis d'un astérisque sont en français dans le texte original *(NdT)*.

La phrase la plus subtile de tout l'article est sans doute celle-ci : « Assez répandu dans les banlieues américaines d'aujourd'hui, le broyeur à bois est un appareil capable de traiter des bûches ayant jusqu'à 36 centimètres de long et 25 de diamètre. » Ayons pitié du pauvre scribouillard qui voulait, jusqu'au désespoir, s'éloigner du réel et décrire la scène de *grand guignol** qui, bien malgré nous, se forme déjà dans notre esprit. Au lieu de cela, voilà qu'il doit appâter son lecteur avec une phrase que l'on dirait tout droit sortie du manuel d'utilisation de la machine. Heureusement, il n'a pas besoin d'aller plus loin. Tous ceux qui lisent l'article sont capables de faire appel aux images qui conviennent : la scie qu'on tire de l'établi à la hâte, la baignoire ensanglantée, le petit cours d'anatomie sommaire selon Gray. Peut-être même allons-nous jusqu'à entendre le ronronnement de l'appareil ainsi mis à macabre contribution.

A poursuivre un peu, le lecteur tombe inévitablement sur les propos de l'officier de police du coin. Du plus pur jargon de commissariat, le style est charmant de platitude, dans lequel on nous dit que « les indices se réduisent exclusivement à quelques bouts d'ongles et fragments de peau ayant adhéré aux feuilles d'un chêne en bordure de la rivière, derrière la maison ». Comment ne pas adorer notre homme ! « Ayant adhéré », dit-il ! Comme si, dans le genre de travail qui est le sien, pareil terme ressortissait au langage de l'art. Et attention à l'accumulation de compléments de lieu : « Aux feuilles d'un chêne en bordure de la rivière derrière la maison. » Telle est bien en effet toute la poésie de l'homme ordinaire.

Cette citation est plus importante encore dans la mesure où le journaliste spécialisé dans ce type de reportages sait que pour réussir il doit être capable de travailler sur deux plans à la fois. Le premier est la relation grossière des faits qui, durs et froids, vont lui fournir l'ossature de son récit. Sa forme est enfermée dans le carcan du goût prétendument compassé du lecteur et de la couardise du rédacteur en chef. Le deuxième plan ? De fait, notre reporter ne lui donne pas vraiment d'existence, se contentant de faire allusion à une autre histoire cachée derrière celle qu'il nous conte. Cela dit, détails, action et sens, cette deuxième histoire est plus riche que la première, l'auteur n'en étant autre que le lecteur lui-même : ombres et lumières, il ne lui est que de recourir à ses fantasmes les plus obscènes pour mettre en valeur l'ébauche de récit qui lui est offerte.

C'est en regardant ce squelette d'histoire que l'œil du lecteur est attiré par un mot du policier. Le voici encore : « exclusivement ». Les preuves, nous le voyons bien, sont fort réduites. Dans la rêverie matinale du lecteur, il y a comme un soupçon d'inquiétude qui s'installe. Quelque part dans sa tête, mais fort loin, une synapse solitaire, là-bas, tout là-bas, dans un coin du subconscient tellement éloigné du réel dont il lit la description que c'est à peine s'il le sent, laisse échapper une seule et blafarde pensée : aurait-il seulement poussé son broyeur à bois plus près de la rivière que jamais notre assassin ne se serait fait prendre.

Serait-ce donc vrai ? Souhaiterions-nous donc vraiment que le meurtrier s'en tire sans encombre ? Bien sûr que oui ! Parce que ce qui, au fond, nous fascine dans cet article – et ce, que nous soyons assis en robe de chambre après le petit déjeuner ou qu'arrêté au feu rouge alors que nous nous rendons au travail nous essayions de lire un paragraphe en vitesse, ou encore que nous nous imprégnions de tous les détails de l'affaire en roulant –, c'est bien la nouveauté de ce satané appareil. Assez curieusement, nous avons (en privé et chacun séparément) envie de récompenser notre bonhomme qui, malheureusement privé de liberté à l'heure qu'il est, a su s'emparer d'un acte horriblement commun par les temps qui courent et lui redonner une certaine fraîcheur. Je suis bien sûr qu'il y a toute une école de pensée pour voir dans son ingéniosité l'essence même du génie.

Bref, l'assassinat a besoin d'un grand artiste, et je suis l'homme qu'il vous faut. Compagnon-apprenti, je le suis maintenant, comme beaucoup de vos lecteurs. J'ai parcouru les grands livres – les vôtres –, et les tiens pour vagabondages théoriques sur notre art. J'ai lu les journaux et les essais consacrés à la chose, tous écrits qui, comme la dernière étagère au fond du magasin, nous rappellent les échecs les plus notoires de chacun. Oui, je suis semblable à bon nombre de vos lecteurs, mais ai assez de courage pour tenter l'examen. C'est mon plus cher désir. Laissons là le tablier et rejoignons les rangs de la guilde. Vous voyez ce que je veux dire ? Oui, je suis prêt à mettre la théorie en pratique. Et comme tout bon étudiant qui se respecte, je me tourne vers mes maîtres pour leur demander conseil. Car il faut regarder les choses en face : nous sommes dans les années 90 (soit : en pleine *fin de* *siècle**) et roman, politique, affaires, musique et autres, dans quelque discipline que ce soit, aucun artiste ne saurait sauter le pas sans avoir d'abord l'avis des maîtres, experts et techniciens *ad hoc*.

Car, vous en conviendrez certainement, le meurtre (appelons les choses par leur nom ! comme s'il était besoin de recourir à l'euphémisme entre gens du métier !) est un art. Toute ma théorie, je la fonde sur les découvertes faites par de Quincey dans son excellent essai : *De l'assassinat considéré comme un des beaux arts*. (Apprenti, je le suis peut-être encore, mais j'ai fait mes classes.) Et donc, dans son essai, de Quincey nous parle à mots couverts de ce que, moi, je vous dirai tout crûment dans cette lettre : oui, l'assassinat a son charme et fascine lorsqu'il est accompli avec un certain sens de l'esthétique. Comme si, pour reprendre les mots du maître, nous n'étions pas tous enclins à « frôler les abîmes de l'horreur » !

De fait, de Quincey cherche à gratter le vernis qui recouvre le meurtre afin de pouvoir en contempler toute la beauté cachée. Cette tâche, il l'accomplit en examinant un des arts qui lui sont frères, j'ai nommé le vulgaire incendie domestique : « Tout compte fait, écrit-il, après que nous avons dûment rendu hommage à l'affaire en en regrettant l'aspect calamité, inévitablement, et sans la moindre restriction, nous y voyons aussitôt un étrange spectacle. De la foule montent alors des exclamations telles que "Comme c'est beau !" et autres "Vraiment magnifique !" qui disent bien une manière de ravissement. »

L'assassinat, lui aussi, suscite un tel ravissement.

Néanmoins, le meurtre étant ce qu'il est, nous sommes tenus de nous exprimer sur le mode de l'indignation vertueuse et de dire notre jugement esthétique dans les termes qui expriment le dégoût. Aussi bien tout meurtre est-il dénoncé comme hideux, horrible ou épouvantable. Mais il n'est pas difficile de traduire tous ces plats euphémismes ainsi qu'il convient. Dans ces mots, le bon critique ne manquera pas d'entendre les subtiles nuances de l'esthète qui s'attache à séparer le bon du mauvais goût et le crime du piéton de ce qui est assurément sublime. Au contraire de ce qui se produit lorsqu'on lit une critique littéraire, il n'est pas besoin de compulser tel ou tel index pour traduire le jargon de la spécialité. Dans cet art des plus subtils, c'est notre propre vocabulaire qui nous crie des choses, et tous les jours, dans les colonnes des journaux. Car, dans ces pages, ce sont les éléments mêmes d'un art aussi ancien que Caïn, notre père à tous, que nous retrouvons.

Considérez, je vous prie, le moins original de tous les assassinats, savoir le vulgaire coup de caillou sur la tête ou le simple coup de poignard. Faibles ô combien, nos rédacteurs de unes appellent ça un acte « troublant, perturbant, qui laisse perplexe, qui hante, qui chagrine, qui exaspère », voire des plus « poignants ». Comme si le dernier des crimes n'était pas tout cela à la fois ! Non, de tels qualificatifs allient bien la critique la plus sévère à l'éloge le plus infime. Ce que l'on veut dire par là ? Que le meurtre en question est nul, tout bêtement, et qu'il l'est aussi bien côté motifs que côté moyens employés. « Troublant », il ne l'est que dans la mesure où, au fond, il n'intéresse personne, et « perturbant » que dans celle où nous serions fort en peine de deviner pourquoi l'on voudrait risquer la prison afin d'accomplir un acte aussi peu inspiré. Bref, la dernière des institutrices n'accorderait à ce forfait qu'un bon zéro pointé.

Vient ensuite le catalogue d'épithètes dont on use pour condamner le caractère tristement moyen de l'auteur de ce crime aux méthodes vulgaires bien qu'excessives. Ce monsieur sera tour à tour : « une brute, un sauvage, un bandit, un barbare, un desperado, un vampire, un ogre, une bête sauvage, un diable, un coupe-gorge, un manant, un mécréant, un immonde, un reptile, un monstre, un chien de l'enfer, un chien, un bâtard », voire « une crapule ». Tout cela pour dire que notre assassin n'est qu'un *amateur** qui, au lieu d'avoir poignardé un bon coup sa victime, s'y est sans doute repris jusqu'à quinze fois. Il est bien connu que l'art et la répétition ne font pas bon ménage. Notre assassin s'en tire avec un 7 sur 20.

Cela dit, c'est déjà mieux, n'est-ce pas ? Or donc, poursuivons. Gravissons un échelon dans l'éloge et notre homme ou son crime sera qualifié d'« indifférent, froid, insensé, sans vergogne, inutile » ou « sans raison ». A ce stade, le meurtre est en lui-même toujours sans grand intérêt, mais dans ce langage nous entendons que c'est la sottise de l'assassin qui est condamnée. Une brèche est, pour ainsi dire, en train de s'ouvrir. La scène a été dressée, et les rideaux écartés, mais l'auteur n'est apparu que pour mieux tomber sur son cul. Me vient en tête l'histoire du monsieur qui un jour conduisit sa famille jusqu'à un pont isolé et, un proche après l'autre, jeta tout son monde par-dessus le parapet pour s'apercevoir un peu plus tard que non seulement chacun avait réussi à rejoindre tranquillement la rive à la nage, mais qu'en plus toute une meute de boy-scouts avait assisté au lamentable fiasco du haut d'une colline voisine. A ce niveau-là, notre homme nous a tout simplement laissé tomber et nous dirons de son meurtre qu'il nous est « indifférent » moins parce que son auteur n'aurait aucun génie que parce que, effectivement, son acte nous indiffère. « Insensé », son forfait l'est bien aussi dans la mesure où nous ne lui trouvons rien qui fasse sens et « sans raison » il l'est encore dans celle où nous n'y voyons aucune pensée réelle. « Inutile », il l'est enfin parce que nous ne pouvons ni le louer ni nous en moquer. Il n'empêche : 10 sur 20.

C'est au-dessus de cet échelon que se situe le gros des assassinats. Enfin nous touchons au royaume de la véritable critique esthétique. Enfin nous pouvons sentir la patte de l'artiste, même si nous estimons que l'exécution manque d'un certain poli. Je songe ainsi au bonhomme qui un jour se créa la possibilité d'épouser celle qu'il aimait en enfermant le mari de la dame – il travaillait au zoo du coin – dans la cage de la panthère après que tous les employés de l'établissement furent rentrés chez eux, leur journée de travail terminée. J'admire beaucoup l'effort qui fut déployé dans cette affaire – il y a là une ébauche de thématique, peut-être même, jusqu'à en être tirée par les cheveux, une tentative visant à l'unité conceptuelle. Malheureusement, tout ce travail de génie fut vidéoté par une caméra des services de sécurité. Bref, mesdames et messieurs, méfiez-vous des dangers de la modernité.

A ce stade, nous éprouvons bien une déception, mais n'en remarquons pas moins le travail bien fait même si, pour finir, l'effort n'a pas porté ses fruits. Les assassinats de ce type sont tellement nombreux que les mots ne manquent pas pour les décrire : « ignobles, cruels, infâmes, dépravés, brutaux, atroces, vicieux, sans pitié, inhumains, inexcusables, impardonnables, inqualifiables, indignes, méprisables, scandaleux, immoraux, sans mérites, injustifiés et injustifiables, perfides, traîtres, couards, lâches, détestables » et « déplorables ». Rien qu'à lire cette liste, on sent bien ce que sous-entend le critique, savoir : la frustration qu'il éprouve devant une promesse qui n'a pas été tenue. « Sans mérites », ce crime ? Comme si le crime pouvait en avoir ! « Ignoble » ? Comme si, par là, notre critique ne disait pas qu'au fond cet assassinat aurait dû être plus élégant. Non, ces crimes-là ont, au fond, quelque chose de triste. Que leurs auteurs s'en aillent donc, avec un bon point et nos remerciements. 14 sur 20.

Nous voici maintenant au seuil même du grand art. Enfin nous pouvons parler d'assassinats véritables. Enfin nous pouvons user de l'éloge et, par son contraire, donner à ces forfaits toutes les épithètes qu'ils méritent : « immondes, révoltants, surprenants, bas, vils, grossiers, odieux, insupportables, exécrables, répugnants, écœurants, sinistres, macabres, affreux, hideux, horribles, nauséabonds, offensants, à vomir ». Que tous ces qualificatifs soient un rien enfiévrés signifie seulement que pour parler de meurtre nous sommes toujours tenus de vilipender ce qui nous ravit. Enfin nous sommes en présence de crimes qui valent la peine qu'on les commette et, à en juger par les détails fournis par la police, trouvons qu'ils sont effectivement bels et bons. C'est à ce niveau que je place notre bonhomme au broyeur à bois. Il y a là de la préméditation et le moyen utilisé implique un certain esprit d'invention. Il y a de la planification, du dessein, un ordre, bref, nous apprécions. L'institutrice qui sommeille en nous se fend d'un 16.

Vient le dernier échelon, celui-là même où l'on peut parler d'art et d'artistes véritables. Alors le chroniqueur hurle au manque de cœur et au caractère absolument sans pitié de celui qui a signé le crime. Bien que les assassins à récidives entrent rarement dans cette catégorie (encore une fois, la répétition n'est pas souvent source de grand art), la palme peut revenir au baron Gilles de Rais qui vécut au XVe siècle. Mettre ainsi en scène des drames uniques, les faire jouer par ses serviteurs et en être le seul spectateur ! C'est à plusieurs centaines de ces productions qu'il assista (on parle de huit cents) avant que l'évêque de Nantes qui, en plus d'être un grand aristocrate, avait pourtant patronné les Croisades, ne puisse vraiment plus le faire bénéficier de ses indulgences. Pour finir, le Baron fut condamné au bûcher avec une vingtaine de ses acteurs. Et moi, je dis qu'on dépasse là le simple stade de l'*amateur**. Tout à la fois rare et intéressant, le crime commis est de ceux qui excitent l'intellect. Pitié, grâce et miséricorde, tout ce qui entrave l'apprenti est cassé. Le bassement terrestre est transcendé et l'on arrive bien au niveau dont le critique littéraire du ve siècle Longinus nous déclare que c'est celui du grand art parce qu'il est capable de nous « transporter ». Bienvenue au monde de l'imagination !

La tête commence à nous tourner, n'est-ce pas ? L'éther raréfié du meurtre est là, et nous en respirons le *bouquet**. Il n'est plus maintenant question que de nuances dans le génie, que de subtils niveaux de la nouveauté, que de visites ô combien excitantes de l'esprit qui souffle. Celui qui rédige les unes de journaux le sait bien et ne nous le dit plus avec des mots (il n'en est pas d'assez forts), mais à l'aide d'expressions qui laissent entendre que la simple lecture du récit qui va suivre risque de beaucoup altérer notre conscience. Le meurtre est ici de ceux qui glacent les sangs, donnent la chair de poule, font dresser les cheveux sur la tête et trembler jusqu'aux tréfonds de l'âme. C'est le grand art qui inspire l'extase, *ex stasis* en latin, « qui fait sortir du corps ». Des livres seront écrits sur l'auteur du forfait (pensons à ceux qui furent consacrés à Jeffrey MacDonald) tout aussi sûrement qu'on en a déjà rédigé sur Michel-Ange ou T. S. Eliot.

De fait, nous sommes maintenant en présence du langage même de l'éloge suprême. Les mots sont ceux qu'on réserve à l'artiste qui honore sa génération, voire tout son siècle. Et donc, nous le condamnons dans les termes les plus sévères qui soient. Il ne me vient que quelques noms à l'esprit. Jack l'Éventreur continuera longtemps de fasciner, et à de multiples niveaux. Relire le récit de ses travaux est une expérience qui évoque les richesses infinies des tableaux de Jérôme Bosch – à chaque examen, ce sont de nouvelles et magnifiques découvertes qui nous attendent. Je songe aussi à Leopold et Loeb, ces deux jeunes gens qui tentèrent d'user de notre art pour révéler le triomphe de la raison pure en des temps qui en manquaient singulièrement. Oser tuer *sans la moindre raison qui soit*, dans le seul but de montrer que c'est possible ! Qu'ils se soient fait prendre parce que l'un d'eux un jour laissa tomber ses lunettes sur le lieu du crime ne nous éloigne pas pour autant de leur recherche. C'est en effet tout le projet qui est original en soi : on n'avait point de motif. Peut-être les savants ont-ils raison lorsqu'ils affirment qu'il n'est rien de plus beau que le vide. Pouvons-nous cependant porter ces criminels aux nues ? Les traiter d'Homères et de Mozarts de l'art ? Non : il nous faut tempêter et invoquer le langage d'Hadès : « sataniques, diaboliques, infernaux, démoniaques » et (mon préféré) « méphistophéliques », voilà ce qu'on en dira. Insulter Satan lorsque c'est Dieu que nous voulons louer ! « Diabolique », bafouillons-nous alors même que nous voulons nous lécher les babines et nous écrier : « Divin ! »

Non seulement l'éloge du meurtre est-il fait dans la langue de l'euphémisme, mais toute l'affaire est encore appréciée à bonne distance. Le roman policier n'est d'ailleurs rien d'autre que cet euphémisme élevé aux dimensions d'un genre littéraire. Le roman policier ne parle pas du meurtrier, mais du détective qui l'attrape. Comme quoi, on peut le penser, la contemplation du meurtre s'apparenterait à l'observation des éclipses.

Il faut regarder la chose de manière indirecte, la voir à travers toute une série de miroirs et de lentilles réfléchissantes. Nous sommes tous Jason contemplant le visage de la Gorgone dans une glace. Dans le policier, cette glace, c'est l'enquêteur.

De fait, rares sont ceux qui se soucient dudit enquêteur. Le lecteur ne s'intéresse qu'à l'assassin. Cela étant, la conscience morale a encore de l'importance (plus ténue aujourd'hui, c'est vrai sans doute) pour le lecteur moyen, la tradition affirmant que nous ne saurions nous dire membres de la société des gens convenables et, dans le même temps, nous esbaudir du véritable génie de tel ou tel assassin. Voilà pourquoi nous portons aux nues l'astuce du policier. Nous admirons l'intelligence de la rue qui est celle du détective privé et goûtons fort la beauté de son raisonnement déductif et l'étonnante facilité avec laquelle il travaille ses indices comme un cruciverbiste. Tout cela n'en reste pas moins que pauvres moyens que nous nous donnons pour entrer dans les superbes machinations du tueur. Le déguisement serait-il trop complexe ? Pour en revenir à ce que (en gros) nous disions au début, qui s'intéresse au Sherlock Holmes qui, assis seul dans son bureau, s'injecte de la cocaïne et renverse des monographies sur des tas de cendres de tabac ? Non, c'est le Pr Moriarty qui constamment excite notre imagination. C'est lui qui toujours est le génie et, sans adresse connue, ne cesse de rôder parmi les ombres qui hantent le brouillard londonien.

L'objet de ma quête n'est autre que le crime parfait. Mais il ne faudrait pas oublier ce que pareille aspiration a de très bassement terre à terre. Le crime parfait, tel au moins qu'il est vu par les dilettantes et les amateurs, serait-il plus qu'un meurtre dont l'auteur n'est jamais pris ? Semblable désir serait trop simple. La lecture des statistiques du FBI montre qu'un nombre écrasant d'affaires d'assassinat ne sont jamais élucidées. Le crime parfait est facile, plus facile même, dans un certain sens, que l'immense variété de meurtres imparfaits qui nous est offerte. Comme si le premier venu n'était pas capable de plonger une dague dans le cou d'un inconnu et de passer ensuite le reste de son existence sans encombre. Qui donc pourrait jamais empoisonner un parent proche – sans motif, s'entend –, et n'être soupçonné en rien ? Ce jeu-là est celui du poltron, se joue tous les jours et comme pour la forme seulement. Non, ce que je cherche, ce n'est point le crime parfait, mais le chef-d'œuvre irréprochable. Je souhaite commettre un assassinat tellement beau dans son agencement et ingénieux dans sa réalisation que vraiment il puisse aspirer au grand art. Je veux un meurtre qui soit baroque dans son concept et d'une richesse qui le marque jusque dans ses moindres détails. Et quand il sera commis, je veux passer l'automne de ma vie à écrire mes mémoires et ordonnerai qu'on publie ceux-ci après ma mort. Théorie et pratique, mon récit sera modeste contribution à la réintroduction de l'assassinat dans les cieux de la Muse. J'y expliquerai tout avec tant de précisions que les exégètes l'étudieront avec le même soin qu'aujourd'hui on met à traquer l'obscure allusion dans *Ulysse* ou à scruter l'extraordinaire syntaxe d'un Marcel Proust ou d'un Henry James.

Les grands maîtres italiens du *Quattrocento* pratiquaient leur art sur un méchant bout de toile tendu entre quatre morceaux de bois. Tous n'avaient d'yeux que pour la plus grande des toiles de l'époque, j'ai nommé : la cathédrale. A l'intérieur de quelque vaste *duomo*, ils espéraient narrer une belle histoire à l'aide des multiples techniques de peinture qu'ils avaient apprises en travaillant sur des objets plus réduits. Ce furent là les vrais constructeurs de cathédrales, ceux-là mêmes que l'on vénère encore aujourd'hui pour la qualité de leurs conceptions et de leur art, pour le génie qu'ils surent déployer dans l'exécution de leur *opus magnum*. Moi aussi, je veux ériger un monument qui dure plus longtemps que le bronze ou la pierre ; moi aussi, je souhaite construire une cathédrale d'une ampleur telle et d'une telle richesse de détails qu'on criera au génie et à l'art suprêmes.

Si mon idée vous intéresse (et je pose que c'est bien le cas), permettez qu'ici je vous parle de moi et de ce qui m'agite. Enfant de basse naissance, je suis quelqu'un qui, ainsi que les politiciens aiment à le dire, « sut s'élever au-dessus de sa condition ». J'ai de l'instruction et, prétendument businessman, suis extrêmement riche. Ma fortune a pourtant ceci de particulier qu'elle ne me vient pas de l'ennuyeuse petite société que je dirige, mais, pour l'essentiel ou presque, de mon épouse. Les circonstances étant ce qu'elles sont, c'est à des sommes considérables que j'ai accès. Je ne vous parle de cela que pour vous libérer l'esprit. Capital, voyages, préparatifs ou travaux de recherche, votre solution serait-elle la plus coûteuse du monde que je pourrais quand même la mettre en œuvre : mes moyens me le permettent.

Je fis bien, jadis, des études de médecine, mais réussis à échapper aux horreurs de cette profession en me mariant. Je ne vous parle de cela que pour vous faire comprendre que si vous me proposiez d'user de certaines drogues ou poisons divers, je saurais me montrer à la hauteur. Toute solution de type pharmaceutique devrait donc être envisagée en n'ignorant pas que je passai autrefois beaucoup de mon temps à maîtriser ces techniques. Et puis quoi ? Nous sommes en Amérique et le drugstore n'est point un endroit où l'on se sentirait mal à l'aide, non ?

Ma maison comporte deux étages. Ma femme et moi faisons chambre à part – la sienne se trouvant au second et la mienne au premier. Nous avons une bonne qui vient les lundis, mercredis et vendredis. Et, l'un comme l'autre, nous avons recours aux services d'un *chauffeur** qui me témoigne une grande sympathie.

Mon épouse ? Moins on en dira et mieux ça vaudra. Comme s'il n'était pas vrai que connaître quelqu'un, c'est déjà essayer de le comprendre ! Cela étant, j'imagine que vous avez besoin de quelques renseignements élémentaires. Ma femme est quelqu'un dont les appétits sont plus qu'excessifs – que ce soit à table, au lit, en société ou dans les magasins. Elle est séduisante et, entre deux âges, adore la manipulation outrancière. Je pourrais vous dire en détail comment elle récupéra toute la fortune de son père en laissant ses deux sœurs dans la cruelle situation où, autrefois, je me trouvais moi-même, savoir : être contraint d'épouser son argent plutôt que de le gagner, mais l'histoire est tellement banale que mille livres ont déjà été écrits là-dessus. De fait, c'est plus ce qui l'obsède aujourd'hui qui m'inquiète – et m'inspire cette lettre. Mon épouse, il faut le savoir, me trompe avec mon meilleur ami, ni l'un ni l'autre ne semblant se douter que je suis au courant.

Lui, c'est-à-dire l'homme qui m'a planté les cornes du cocu sur le front, n'est pas un innocent, mais quoi ? Quel homme l'est jamais vraiment dans ce genre d'histoires ? Disons qu'il préfère ne pas penser : ni avec sa tête ni avec son cœur. C'est, de fait, à la plus vieille des tentations qu'il a succombé. Pour les besoins de la cause, nous l'appellerons Blazes Boylan. Que vous dire de cette pauvre limace ? Qu'il est, lui aussi, homme d'affaires, qu'il a divorcé et fut mon meilleur ami ? Je fais ici tout mon possible pour ne pas vous le présenter sous les traits d'un grand sot. Il l'est, bien sûr, mais pas plus que les trois quarts des personnes de notre malheureux sexe. Blazes, donc, naquit dans les plus grands conforts et privilèges que notre pays peut offrir à ceux qui ont le désir d'apprendre. La fortune qu'il s'est faite est considérable. C'est vrai qu'en Amérique, s'enrichir n'exige jamais que de faire fonctionner sa cervelle et de suspendre tout jugement moral. Comme beaucoup, Blazes souffre d'un *ennui** indéfinissable. Le mal affecte si profondément et sévèrement son caractère qu'à ses yeux avoir une aventure est tout à la fois danger et triomphe. L'homme, je vous l'ai dit, est bien ordinaire.

Il y a peu, je l'ai rencontré au club que nous fréquentons. Il a aussitôt tenté, et avec quel désespoir, de maintenir la fiction de notre amitié. Il n'y a pas réussi aussi bien que moi, tant s'en faut. Nous nous sommes assis au salon, devant un café. A un moment donné, après avoir soigneusement reposé ma tasse sur ma soucoupe, je lui ai grogné, comme nous autres hommes sommes censés le faire :

– Alors, mon ami le célibataire, on s'en tape beaucoup en ce moment ?

Dans un film, il ne fait aucun doute qu'il aurait dans l'instant laissé tomber sa tasse par terre. Mais nous n'étions que dans la vie réelle et Blazes n'est pas des plus subtils. Toujours comme nous autres hommes sommes censés le faire, il me grogna ceci en retour :

– Ah ! si seulement c'était le cas !

Sauf que ses yeux – c'est toujours ça qu'il faut regarder –, me disaient tout autre chose : on n'aimait guère le tour que prenait la conversation. Mon regard s'étant allumé, je le contemplai d'un air doux et gamin, comme si nous venions à peine de finir de nous flanquer de grandes claques dans le dos. Mon regard est mon bien le plus précieux.

Tout cela doit commencer à vous paraître bien familier, n'est-ce pas ? Le contraire serait étonnant : de fait, je ne serais pas à vous écrire cette lettre si j'étais en mesure de donner à mon histoire une conclusion extraordinaire. Pour l'instant, il n'y a ici rien que de très banal et assommant. A vous de hisser mon affaire au niveau de l'homérique en lui assurant une fin qui sorte du commun. Pour ce qui est de la direction générale, je verrais assez bien que mon épouse soit la victime de vos talents divers et respectifs, que, moi, j'en réchappe sans ennuis et que ce grand benêt de Blazes se retrouve dans le box des accusés avec un alibi qui ne convaincrait absolument personne tant les preuves patiemment accumulées par la police seraient convaincantes. Ces dernières devraient, en outre, être tellement fortes que tous les soupçons que la police aurait pu, à juste titre, nourrir contre moi au début en tomberaient d'eux-mêmes. Bref, il faudrait que raconter mon histoire en vaille vraiment la peine.

Il est encore un détail qu'il vous faut connaître. Au contraire de mon épouse, Blazes est une créature d'habitudes. Pour l'une de ces dernières, amant et amante se montrent néanmoins d'une ponctualité partagée et sans failles. Tous les lundis, mercredis et vendredis, à cinq heures de l'après-midi, Blazes quitte son bureau et rentre chez lui à pied. C'est à cette même heure exactement que ma femme, elle, s'en va faire une petite promenade. Tous deux se retrouvent alors dans une auberge voisine, prennent un verre au bar et se quittent à cinq heures trente. Chacun allant ensuite son chemin séparément, madame et monsieur entrent dans la chambre 1507 – elle d'abord, lui après. A six heures trente, ils en ressortent l'un après l'autre – lui d'abord, elle après, ce coup-ci. A sept heures pile, telle une véritable horloge, madame est de retour à la maison et s'assoit à table pour dîner avec moi.

Et c'est moi qui, jour après jour, dois supporter le spectacle d'un visage que tout montre enfiévré de passion. Hélas, ces rougeurs sont celles d'un autre bonheur – celles de l'énorme plaisir qu'on prend à rouler son monde en cachette, du ravissement qu'on éprouve lorsqu'on se sait capable de tenir un secret, de la joie, oui, du marchand de tapis qui vient de berner son touriste au bazar. Comment ne pourrait-elle pas croire qu'assis comme un ballot à l'autre bout de la table, j'ignore tout des humiliations qu'elle vient de me faire subir pendant une heure entière ? Je ne fais rien pour la détromper sur ce point.

De ce côté-là d'ailleurs, nous sommes assez semblables. De fait, mon épouse ne me veut aucun mal. D'une manière quelque peu perverse (celle, sans doute, que l'on a lorsqu'on est à la tête d'une fortune pareille), elle m'aime comme je l'aime. M'imaginerais-je de lui dévoiler ses cruautés qu'elle me jurerait n'en avoir commis aucune de propos délibéré… et dirait la vérité. Pour elle, tout cela n'est qu'un jeu – et je suis le partenaire qu'il lui faut. Car il n'y a qu'avec moi qu'elle entend mener la partie à son terme. Même chose pour moi. A ceci près que moi, j'entends changer de jeu.

Et maintenant, me direz-vous, suis-je capable d'y arriver ? Suis-je capable de concevoir l'assassinat le plus compliqué – et le plus beau – de notre siècle et, l'ayant conçu, de l'exécuter avec *élan** et panache ? Bien sûr que oui. Je suis l'individu qui convient le mieux à mon épouse. De plus, je suis un homme, et quel homme n'est pas versé dans les complexités labyrinthiques du mensonge éhonté ? Quel homme ne sait mentir et se donner le masque de la candeur blessée ? N'avons-nous pas, nous autres hommes, beaucoup d'expérience dans ce domaine ? Ne mentons-nous pas beaucoup dans notre vie ? Chaque fois qu'il dit « Je t'aime », l'homme ne profère-t-il pas, dans l'instant, un des mensonges les plus tenaces de l'existence humaine ? Voilà – mais à vous d'en juger –, qui devrait suffire à vous prouver mes compétences. S'il en allait autrement, relisez donc, je vous prie, tout ce qui précède.

Mais… et le public ? Est-il donc prêt à affronter la froide honnêteté que vous et moi allons exiger de lui ? Je le crois. Comme si nous n'étions pas à la fin d'une ère freudienne où, tous, nous sommes obsédés par la vérité et la révélation ! C'est dans toutes les couches de notre société que continuellement nous sommes soumis à ceux qui mettent à nu la triste réalité de notre nature, sous les applaudissements et les *bouquets** de roses des spectateurs. Les pervers d'hier ne seraient-ils pas les thérapeutes sexuels d'aujourd'hui ? Ne nous avoueraient-ils pas – et avec quel luxe de vilains détails ! – toutes leurs turpitudes particulières dans d'épais manuels du savoir-faire sexuel ? La dominatrice d'autrefois a toutes les chances d'avoir son émission télévisée et d'y dispenser ses enseignements techniques tel le pêcheur à la mouche sur une autre chaîne. Il y a à peine quelques décennies de cela, nous déguisions les plus viles passions du cœur humain sous le langage poli d'une Amy Vanderbilt. Aujourd'hui, c'est tout le sens du décorum qui est mort. On nous dit qu'il vaut mieux cracher honnêtement sa bile, dévoiler – et peu importe avec quelle cruauté – toute l'amère vérité sur ceux que l'on aime plutôt que de se réprimer. Alcoolisme, jeu, malfaisances diverses, nos politiciens nous jettent toutes leurs maladies à la figure, il n'y faut que l'espace entre deux publicités télévisées, et nous, nous les saluons en véritables hommes d'État d'oser le faire. Tout le monde se lave en public. J'ai ainsi appris l'autre jour, à l'émission de Phil Donahue, que les satanistes avaient renoncé à leurs sombres réunions de sorciers pour rejoindre les rangs du Conseil unifié des Églises d'Amérique. Le public est-il donc prêt à affronter les honnêtetés de types dans mon genre ? Mes amis, je les entends déjà hurler de me presser un peu.

Tout est donc au point. Un art ancien est au bord de renaître, vous et moi nous tenant déjà à deux pas de l'abîme où, pour reprendre de Quincey, « il convient de regarder l'horreur ». Emparons-nous de toute l'esthétique de cet art nouveau et façonnons-la à notre manière. Le *Bloomsbury Group*[1] de l'assassinat, voilà ce que nous serons – et fonderons la génération des meurtriers *post-modernes**. Débarrassons le monde du langage de l'euphémisme et, l'ayant ainsi libéré, permettons-lui d'enfin contempler et apprécier notre art dans sa plus grande splendeur. De ce crime vous serez les auteurs, et j'en serai le Stephen Dedalus. Ensemble redonnons toute leur vérité à ces mots de James Joyce : « Je m'en vais, pour la millième fois, à la rencontre des réalités de l'expérience et dans la forge de mon âme façonnerai la conscience inexistante de ma race. »

Et vous, alors, serez mon père et ma mère, oui, vous : mes architectes de la pensée. Ici et à jamais, venez-moi en aide !

1. Nom que se donnèrent J. Maynard Keynes, Lytton Strachey, Virginia et Leonard Woolf, Vanessa et Clive Bell, E. M. Forster et Roger Fry en fondant un groupe littéraire qui s'appuyait sur les *Principia ethica* de G. E. Moore *(NdT)*.

Réponse de Donald E. Westlake

Cher ami,

J'ai bien reçu votre lettre, ai longuement et sérieusement réfléchi à son contenu, et voici ma réponse.

Ce que vous commencez par me démontrer, c'est qu'il n'est jamais trop tard pour se mettre à agir avec discernement. Vous serez en effet le premier à admettre, je l'espère, que jusqu'à présent vos choix ont été rien moins que satisfaisants. Commençons par récapituler les décisions erronées qui vous ont conduit à cette *impasse** – laquelle impasse semble au moins, et fort heureusement, vous avoir amené à plonger en vous-même afin d'y trouver un filon d'intelligence jusque-là insoupçonné, celui-là même qui vous a, une fois n'est pas coutume, enfin permis de vous engager dans la bonne voie : vous tourner vers les vrais experts pour leur demander avis et conseils. Seriez-vous donc de ces gens qui se montent leur plomberie tout seul ? Qui s'ôtent leurs adénomes naso-pharyngiens de leurs propres mains ? Qui préparent leurs déclarations d'impôts sans l'aide de personne ? Qui savent toujours garer leur voiture devant le meilleur restaurant qui soit ? Bien sûr que non. Mais au tout dernier moment, juste à temps, à l'ultime virage du destin en marche, vous avez soudain compris ce que tôt ou tard, tous, nous sommes un jour contraints de reconnaître : vous avez besoin d'un coup de main.

Quelles furent donc ces mesures plus que branlantes que vous prîtes et qui vous conduisirent à la triste situation dans laquelle vous vous trouvez aujourd'hui ? Je commencerais, moi, par la bonne éducation que, va savoir comment, vous avez réussi à recevoir car vous dites bien qu'« enfant de basse naissance », vous n'avez jamais eu d'argent avant de vous marier. Voilà bien, dans ce *curriculum vitae* plein de trous que vous m'avez fourni, la preuve d'une intelligence dont vous ne paraissez avoir usé que de manière sporadique. Ou bien vous êtes parvenu à avoir quelque instruction grâce à une bourse, ou bien vous l'avez fait en séduisant quelque généreux mécène. Dans l'un comme dans l'autre cas, cela témoigne d'une certaine agilité d'esprit.

Mais, après avoir ainsi bénéficié d'une instruction à laquelle vos origines ne semblaient pas vous destiner (regardez donc, je vous prie, les études auxquelles eurent droit vos petits copains d'enfance), que faites-vous des possibilités que cela vous ouvre ? Rien, ou peu s'en faut. Faites-vous tout pour vous frayer un chemin dans les arts ou les professions libérales ? Point du tout. Vous donnez l'impression de vous contenter de profiter des avantages qui vous fondent dessus pour n'acquérir qu'un vernis de culture et de civilisation. Bref, mon ami, vous vous vendez au-dessous de la valeur. Malgré vos capacités naturelles et la chance qui est la vôtre au départ, vous ne vous préparez qu'à devenir le petit toutou à une mémère fortunée. Et maintenant que vous êtes ainsi tout ficelé dans le rôle que vous vous êtes choisi, vous venez me gémir à l'oreille de vous sortir de votre bourbier ?

Bon, bon : à ce point de l'histoire, il serait vain de vous faire de plus amples reproches. De fait, il n'est nullement dans mes intentions de vous frotter le nez dans votre incompétence puisque vous avez au moins eu l'intelligence de la remarquer et d'appeler à l'aide. Cela vient peut-être un peu tard, mais enfin... Toujours est-il qu'afin de vous élever au-dessus de la mêlée et d'enfin réussir, et vraiment, dans quelque chose, il importe que vous ayez bien conscience de vos penchants et manques divers.

Allons-y. Commençons à suivre le chemin descendant de votre carrière. Vous me dites que vous auriez, jadis, entamé des études de médecine, mais que, ne les ayant jamais menées à bien, vous n'auriez plus aujourd'hui que de vagues connaissances en ces matières. Cela ferait-il donc partie de cette instruction qu'avec un rare bonheur vous avez réussi à acquérir ? Cela signifierait-il aussi que, bourse ou bienfaits de votre mécène, vous auriez tout gâché ? Voilà qui, moi, me dit, et d'entrée de jeu, que certes capable de penser à long terme, dès que l'obstacle se présente, vous manquez du courage, de l'esprit d'initiative, de l'*élan**, de la confiance en soi, de... appelez-ça comme vous voulez, qui sont nécessaires au projet qui dépasse le seul instant. (La remarque n'est pas indifférente quand on pense à l'affaire que vous envisagez et pour laquelle vous vous tournez vers moi.)

Ayant ainsi démontré, et dès la fin de vos études, que vous n'étiez, au mieux, qu'un *dilettante**, il apparaît que vous ne déployez alors que peu d'efforts, voire aucun, pour vous assurer un avenir en usant de vos talents et réussites, et qu'au lieu de cela vous vous mettez en quête de quelqu'un à épouser – quelqu'un qui pourra subvenir à vos besoins dans le style auquel vous espérez depuis longtemps vous habituer un jour. (C'est d'ailleurs cela qui, dans la question de votre éducation, me fait pencher pour la thèse du mécène plutôt que pour celle de la bourse justement méritée. Une veuve qui n'aurait eu aucun sens des réalités ? Un professeur de musique homosexuel, esseulé et d'un certain âge ?)

Mais, même à choisir la voie du moindre effort, vous semblez encore manquer de ce qu'il faut pour aller jusqu'au bout. Vous épousez une femme riche. Tacite ou explicite, le marché, c'est clair, est le suivant : vous êtes le mari, elle vous donne accès à sa fortune. Cela étant, respectez-vous les termes du marché une fois que celui-ci est conclu ? Non. Ce n'est pas seulement lit ou chambre à part que vous faites, mais bel et bien *étage entier*. Elle couche au second, vous dormez au premier. Vous allez sans doute me dire que c'est elle qui a désiré cet arrangement particulier, mais, à supposer même que cela soit vrai, jusqu'où avez-vous insisté pour la persuader d'y renoncer ? N'étiez-vous pas, en secret, très heureux de cette occasion qui ainsi vous était offerte de vous distancier de votre épouse et, soyons franc, de la honte que vous éprouviez à ne pas tenir vos engagements ? Il est certain que, tout autant que ses défauts à elle (défauts que vous deviez connaître avant de l'épouser, soit : à une époque où ils ne faisaient pas le poids face à son compte en banque), c'est l'attitude que vous avez, vous, adoptée vis à vis de votre épouse qui, en la jetant dans les bras de ce Blazes, vous a conduit à la situation que vous connaissez aujourd'hui.

Et donc, nous y voici : outre que depuis longtemps vous jouez au-dessous de vos capacités, vous souffrez des liens qui vous unissent à une épouse fortunée qui vous méprise. D'où le fait qu'assez raisonnablement, d'ailleurs, vous songiez à l'assassiner. A en juger par le caractère passablement hésitant de vos plans (ce que vous laissez entendre dans votre lettre), il est donc fort heureux que vous ayez décidé de chercher des avis éclairés avant de vous lancer dans cette entreprise.

Hein ? Parce que vous vous imaginiez que je ne les remarquerais point, vos petites solutions, au fur et à mesure que, trompeusement – pour mieux jouer à l'innocent ? –, vous me les évoquiez à droite et à gauche dans l'espoir (déjà déçu, j'en ai peur) que je vous adresse des éloges professionnels ? Réfléchissez donc un peu : vous seriez-vous tourné vers moi si je m'étais montré aussi obtus ?

Et quelles étaient-elles donc, ces solutions que vous me proposiez comme sous le manteau ? Il y avait la « pharmaceutique », comme vous dites, soit : le poison. Alors que vous avez fait des études de médecine ? Et que la police ne manquera pas d'aller fouiller dans votre passé ? Parce que, je puis vous l'assurer, pour le faire, elle le fera et, permettez-moi de vous le dire, avec beaucoup plus de sérieux que celui que vous me donnez à voir dans votre lettre. Une femme morte empoisonnée et un mari qui a fait des études de médecine ? Ces messieurs de la police ne se laisseront jamais abuser par toutes les fausses pistes et autres alibis bidons que vous pourriez leur proposer. Votre astuce, la mienne et toutes celles qu'on pourrait faire entrer en jeu en allant voir ailleurs jamais ne tiendraient une seconde devant la véritable muraille de leur intime conviction. Votre condamnation serait acquise – et pour meurtre.

Laissez-moi revenir sur un fait que, je le sais, vous n'ignorez pas, mais auquel vous ne semblez pas croire vraiment. Lorsqu'une femme mariée est assassinée, c'est sur son époux que la police concentre invariablement ses efforts. La seule exception à cette règle est le cas où l'assassin est découvert en flagrant délit sur les lieux du crime – et même alors, vous pouvez être sûr que la police cherchera à savoir si ce n'est pas le mari qui a commandité le forfait.

Ce n'est qu'avec les plus grandes difficultés que, même dans les situations les plus simples et les plus claires, on peut égarer les soupçons que la police nourrit à l'endroit du mari. Ajouter, par un détail, la moindre cause à leurs soupçons, c'est se condamner à ne plus jamais en sortir. Le pilote de chasse ne pourra ainsi jamais tuer son épouse à coups de bombes, le charpentier à coups de marteau, le magicien en la sciant en deux et le directeur de collection littéraire en la charcutant jusqu'à plus soif. Vous avez jadis passé quelque temps à faire de la médecine ? Laissez le poison sur son étagère.

Me suis-je bien fait comprendre ? Je l'espère pour vous.

Voulez-vous encore une autre de vos petites idées en passant, encore un autre de vos embryons de plans ? Il est assez évident, mon cher camarade, que vous ne désespérez pas de mettre dans la confidence ce chauffeur dont votre femme et vous partagez les services professionnels, mais dont vous m'assurez, ceci pour vous citer, que sa « sympathie » irait plutôt de votre côté.

Quoi ? Mettre un *employé* dans la confidence ? Vous exposer ainsi au risque bien réel d'un mouchardage, voire d'un chantage, parce que vous comptez sur la « sympathie » d'un type dont les pensées, lorsqu'il vous parle, ne peuvent pas ne pas tourner autour des thèmes conjoints de la sécurité de l'emploi et du bonus de Noël ? Comme si en vous laissant conduire ici et là par ce monsieur, vous ne vous étiez pas, de temps en temps et l'un comme l'autre, confiés à lui ! Comme si alors, en serviteur sensé qu'à mon avis il doit être (les serviteurs sensés, les riches peuvent s'en payer et, assez souvent, arrivent à en avoir un besoin absolu), il n'avait pas exprimé sa « sympathie » à l'un comme à l'autre de ses maîtres ! Et c'est en vous fondant sur cette *bonhomie** aux motifs pécuniaires que vous iriez hypothéquer votre réussite, votre liberté et votre avenir ? Par Jupiter, monsieur, vous êtes venu à moi juste à temps.

Une fois encore, en soulignant que vous auriez accès à d'« énormes sommes d'argent » (vous ne dealez pas de drogue, au moins ?) et en me faisant remarquer que, voyages et travaux de recherches, tout me serait possible, vous semblez aussi me laisser entendre l'existence d'un plan plus vaste et incluant de grandes foules. D'une conspiration, disons-le, dans le genre de celles que James Bond ne cesse de rencontrer sur son chemin. Songeriez-vous à rétamer votre épouse au laser ? Pour un homme de votre standing, faire pareil étalage de richesse dans le financement d'un crime (me fourniriez-vous un labo au milieu d'une île volcanique ? aurais-je droit à un sous-marin ? tous ces gardes armés, gentils messieurs en uniforme et autres « travailleurs saisonniers » figureraient-ils donc dans vos livres de comptes ?), ce serait agiter sous le nez de nos polices un mouchoir tout aussi rouge qui celui du poison chez l'époux qui jadis fit des études de médecine. En dehors des petites dépenses que n'importe qui peut se permettre – de quoi acheter assez de corde, disons –, veillez plutôt à laisser votre fortune dans l'ombre.

Et donc, assez de ces plans qui sont les vôtres. Passons à d'autres points de votre lettre. J'y note que vous y mentionnez à peine le fait que, privées par votre épouse (vous ne vous appelleriez pas Lear, par hasard ?) de l'héritage auquel elles avaient droit le plus naturellement du monde, vos deux belles-sœurs feraient, après vous, des suspectes de première grandeur. C'était pourtant là, me semble-t-il, une diversion aveuglante et toute faite à offrir à ces messieurs de la police. Deux femmes de la haute société ? Deux femmes séduisantes et dures en affaires ? Deux femmes capables de rendre fous furieux tous les Colombo qui travaillent à la petite semaine ? Qui mieux qu'elles, et sans beaucoup se déhancher, pourrait convenir à vos desseins ? (C'est sur la description que vous en faites que je me fonde, la remarque selon laquelle, déshéritées, elles auraient subi le même sort « cruel » que vous : être « contraint d'épouser son argent plutôt que de le gagner ». Ces remarques incessantes sur votre sort vous font la part un peu trop belle, mais nous vous laisserons le bénéfice du doute. Pour en revenir à vos belles-sœurs, elles n'auraient pas été déshéritées si elles n'étaient pas encore plus odieuses que votre épouse. Ne seraient-elles pas séduisantes, élitistes et dures en affaires qu'elles n'auraient guère de chances de réussir dans l'entreprise un rien formidable qui consiste à *épouser son argent*. Je vois là quelque chose de gaboresque et nous savons tous qu'entre un flic et une Gabor, les influences ne sont pas à sens unique.)

Cela posé, vous ne songez même pas à impliquer vos belles-sœurs dans l'exécution de votre épouse. Et pourquoi donc ? Il n'est pas impossible que, pour des raisons de sécurité, ou de honte, vous ayez omis de me parler de certaine affaire de *cœur** avec l'une d'elles – ce qui la rendrait inapte à servir votre affaire d'*intérêt**, mais, va savoir pourquoi, j'en doute. Vous savez déjà l'enfer que, pour vous, représentent toutes ces Lear-Gabor ; votre avenir sentimental sera vraisemblablement d'une autre facture – une activiste de l'anti-avenir ? une ex-nonne ? (Ainsi vous dis-je une des raisons qui m'ont amené à étudier votre problème de près : j'espère, et sérieusement, que côté emploi nous n'en resterons pas là.)

Mais j'anticipe. Le problème qui nous occupe pour l'instant est le suivant : pourquoi ne pas coincer une belle-sœur ? La chose serait facile, commode, évidente, et agréable au raisonnement policier. La raison de ce refus doit être ceci : vous haïssez tellement ce Blazes Boylan que vous avez décidé que ce serait lui qui prendrait place dans le box des accusés (et sur la chaise à capsule de cyanure[1] si vous êtes de ceux qui caressez encore l'idée de tuer). J'ai bien dit lui et personne d'autre.

Car, de fait, ce Blazes, vous le haïssez encore plus que vous ne détestez votre épouse. Elle, vous seriez assez prêt à l'expédier dans un monde meilleur d'un seul coup – vous vous moquez même royalement qu'elle quitte son enveloppe mortelle sans grande douleur, disons : comme si elle se rendait une dernière fois chez le dentiste. Blazes, lui, vous voulez lui faire du mal, le mortifier et punir aussi longtemps et durement que possible. Comment cela se fait-il ?

Jalousie ? Votre « meilleur ami », ce Blazes, a connu l'opulence du bébé qui naît avec une cuillère d'argent dans la bouche, vous, l'ordinaire de celui qui n'a droit qu'aux couverts en plastique de chez McDonald. Vous l'avez en partie rattrapé, mais, c'est clair, vous sentez encore inférieur à lui. Il vous faut jouer les hommes d'affaires, mais votre travail n'est-il pas une sinécure que l'argent de votre épouse vous a permis de décrocher ? Né dans le fric, Blazes, lui, n'a eu qu'à continuer sur sa lancée pour se faire « une fortune considérable ». Vous appartenez certes au même club, mais en êtes-vous vraiment persuadé lorsque vous vous retrouvez ensemble dans sa vénérable enceinte ? Autant que Blazes se sait en

1. Certains États administrent la peine de mort en attachant le condamné à la chaise électrique et en lui faisant respirer des gaz provenant d'une capsule de cyanure *(NdT)*.

être membre légitime ? Vous surprenez-vous, chez votre tailleur, en train de modeler votre aspect sur celui de ce monsieur et n'éprouvez-vous pas, devant ces singeries, un rien d'humiliation et de honte rentrée ? Avez-vous choisi votre automobile dans le dessein d'imiter votre « ami » ou de faire le contraire, ce qui revient au même ? Vous arrive-t-il de bafouiller en sa présence, de ne savoir ni choisir la conversation ni les mots qu'il y faudrait ? Ce Blazes vous est-il depuis toujours un exemple et lui en voulez-vous pour ça ?

A-t-il enfin, en vous piquant sans mal, mais avec quel mépris, une épouse que vous ne désirez guère, mais dont vous avez absolument besoin, franchi un pas de trop ? N'est-ce pas sur sa personne, plutôt que sur celle de votre épouse, que vous voulez commettre un crime parfait ? Vous débarrasser de votre moitié – et garder sa fortune – ne serait-il pas que simple bonus, que juteux sous-produit de votre souci premier : celui d'assurer totalement et durablement la déconfiture de ce M. Blazes Boylan ? Avoir honte de me l'avouer à moi, et à vous-même aussi d'ailleurs, serait bien inutile, si tel était le cas : de la clarté, il en faudra si vous voulez réussir dans votre entreprise.

Dans ce même genre d'idées, il est encore une autre remarque à faire. Si vous venger d'un Blazes Boylan dont la seule existence vous insulte continuellement constitue effectivement votre mobile premier, alors la plaisanterie risquerait fort de ne pas être entièrement réussie si votre ennemi n'apprenait pas l'identité de celui qui l'a refait, sans, bien sûr, jamais pouvoir le prouver. La meilleure façon de jouer le coup ? Que, naturellement, votre Blazes soit avec vous lorsque vous tuerez votre épouse. Autrement dit, qu'on le trouve sur les lieux du crime – et que vous, vous puissiez démontrer que vous ne vous y trouviez pas. Vous y ayant vu, il est probable que votre ami gaspillera des trésors d'énergie à essayer de le faire croire à des policiers qui n'en auront rien à cirer, l'histoire qu'il sera alors amené à leur raconter perdant tout crédibilité dès qu'il ouvrira la bouche.

Voyons si nous ne pourrions pas arranger l'affaire dans ce sens. Vous me dites que Blazes était votre meilleur ami et que, pour le moment au moins, vous vous efforceriez l'un et l'autre (et pour des raisons opposées) de faire semblant de vous bien aimer encore. Vous ajoutez même qu'à ce petit jeu, vous seriez meilleur que lui. (Il ne devrait pas vous surprendre que, pour ce qui est de ce mensonge, votre Blazes se trouve, lui, bien meilleur dissimulateur que vous.) Je poserai donc que votre amitié se nourrit des activités ordinairement en vogue chez les gens qui jouissent d'une réussite et d'une santé raisonnables dans les milieux de l'argent, j'ai nommé : le golf, voire le tennis et la navigation dans des climats tempérés. La chasse à courre serait peut-être exagérée pour un monsieur de votre rang, vu qu'à mon avis vous ne pouvez qu'être fort chatouilleux sur les échelons qu'il vous a fallu gravir pour arriver au sommet de notre société bien évidemment sans classes.

Mais… et le tir au fusil ? Le tir à la cible dans une bâtisse spécialement construite à cet effet ? Appartenir au bon club de tir confère parfois autant de *cachet** que de jouer sur un court de tennis recherché. Or donc, et sans attendre, inscrivez-vous au club de tir le plus sélect qu'il vous sera possible de trouver étant donné votre situation sociale, économique et géographique. Dans vos conversations apparemment décontractées (mais, de fait, bien guindées) avec Blazes, mentionnez ce nouvel enthousiasme qui vous est venu, en prenant la précaution de souligner le nombre de gens importants avec lesquels vous frayez dans ce lieu. Si, de lui-même, il ne vous demande pas, au bout d'une semaine ou deux, de rejoindre votre club, proposez-le-lui : offrez-lui, dans un bel esprit de cordiale *camaraderie*[*], de parrainer son inscription. Psychologiquement, il ne saurait refuser. S'inscrire, il le fera. Et vous ferez le coup de feu ensemble. Ce qui, vous le sentez déjà, aura pour résultat que, le jour que vous aurez choisi, les analyses du laboratoire de balistique démontreront que Blazes s'est effectivement servi de son arme.

Fin de la première partie. Tout y a été facile, agréable, et même utile puisque votre habileté au fusil se sera améliorée depuis votre entrée au club, laquelle habileté devra d'ailleurs être bientôt mise à contribution.

Mais d'abord, revenons-en à cette auberge locale où Blazes et votre épouse ont élu de poursuivre leur étude des mystères de Paphos. Vous ne m'en dites pas grand-chose, hormis qu'on y sert des boissons au bar et qu'elle semblerait avoir beaucoup de chambres : ce n'est pas dans de petites auberges que l'on en trouve au moins 1507. Bref, le bâtiment doit bien aussi contenir un restaurant et quelques ascenseurs. Vous connaissez l'endroit, mais vous y connaît-on ? Je crois pouvoir avancer que non : cette auberge me paraît fort grande et anonyme, plus dans le style Holiday Inn que Mam'zelle Vitefait.

Cela dit, le fait que cette chambre leur soit réservée jour après jour semble indiquer que Blazes et votre épouse ont des accointances avec la direction de l'établissement – sur le plan personnel ou sur celui des affaires. Étant donné que vous ne m'en parlez pas, il est peu probable que l'affaire ait été arrangée par votre épouse. Ainsi donc, Blazes, je le pense, est grand ami avec le directeur, ou alors fait partie du groupe de businessmen du coin qui, ensemble, possèdent ce véritable chancre au cœur du paysage. C'est à cause de l'influence qu'il exerce sur ses collègues que cette chambre lui est réservée trois fois par semaine, est ensuite nettoyée par la femme de service après le départ des deux amants, puis, siège des W.-C. recouvert d'un nouvel étui protecteur et tout et tout, retournée au lot de chambres disponibles avant même que votre épouse ait le temps de s'asseoir en face de vous pour dîner.

C'est la clé de cette chambre qu'il vous faut, à tout le moins le passe de l'auberge. Vous serez sans doute obligé d'y séjourner une nuit ou deux et, pour cette raison, avez besoin de vous fabriquer une autre identité. Pourquoi ? Parce que vous allez devoir régler le prix de cette chambre avec une carte de crédit, tout règlement en espèces constituant une anomalie qui vous desservirait. Et donc, acquérez une identité nouvelle sans tarder : avant même de vous inscrire à votre club de tir, afin de donner à votre nouvel être financier toute la surface paperassière qui convient.

Rien n'est plus facile. Commencez par choisir une ville se trouvant dans un État différent du vôtre. Allez ensuite à la bibliothèque municipale et consultez-y les journaux locaux reproduits sur microfilms. Ce que vous cherchez ? La notice nécrologique d'un enfant qui, né la même année que vous, sera mort avant d'avoir atteint ses deux ans. C'est triste à dire, mais, pourvu que votre ville soit plus qu'un bourg, la rubrique nécrologique devrait vous offrir tout ce que vous pouvez désirer.

Après, vous vous rendez dans cette ville et y louez un petit appartement – que, là, vous pourrez payer en espèces. En vous servant de cette domiciliation et en vous donnant le nom du malheureux enfant, écrivez alors aux services de l'état civil de l'État et demandez-leur de vous envoyer une copie de votre extrait de naissance – savoir, je le répète, celui du bambin décédé. Lorsque vous l'aurez reçu, servez-vous-en pour obtenir un permis de conduire et une carte de Sécurité sociale en expliquant aux employés de ces deux services que vous viviez à l'étranger – et avec vos parents – depuis votre adolescence. Une fois muni de ces deux documents au nom de voyons… Minor DeMortis ? ouvrez-vous un compte-chèques dans une banque et un compte de dépôts dans une autre – compte de dépôts que vous alimenterez en espèces. Demandez alors une carte de crédit d'essence et ouvrez deux comptes d'achat dans des grands magasins, lesquels magasins n'exigeront que vos références bancaires pour vous obliger. Ces cartes une fois en votre possession, faites une demande de carte de crédit ordinaire. Et enfin, oui : enfin, réservez une chambre à l'auberge en question – sous le nom de DeMortis, s'entend.

En aurez-vous la patience ? Votre lettre ne le laisse guère entendre. Avant de commencer l'opération, demandez-vous si vous aurez vraiment la force de la mener à bien. Jusqu'à la fin, bien sûr, vous n'aurez commis aucun délit majeur – quelques infractions mineures à droite et à gauche, oui : par exemple, tous les mensonges qu'il vous faudra proférer pour établir votre nouvelle identité. Vous pouvez donc laisser tomber au moment qu'il vous plaira si jamais vous décidiez que, tout compte fait, vous accommoder de vos humiliations n'est pas si pénible que ça.

A supposer que vous choisissiez de poursuivre, voici ce que je vous propose de dire lorsque vous appellerez votre auberge. Annoncez au patron que vous arriverez vers huit heures du soir et qu'ayant appris que la chambre 1507 présentait tel ou tel avantage, vous aimeriez savoir si elle est disponible. (Plan B – au cas où elle ne le serait pas, ou bien alors si elle ne comportait aucun avantage particulier dont vous pourriez faire état, ou encore si vous ne vous sentez pas de jouer la comédie de manière adéquate : vous prenez n'importe quelle chambre, vous vous enfermez dehors en ayant fait attention à bien laisser la clé à l'intérieur et vous vous débrouillez pour tenir un instant le passe de l'employé de la sécurité qui viendra vous ouvrir, le plastique malléable nécessaire à la prise d'empreinte se trouvant déjà dans votre main.) (Plan C – si jamais l'employé de la sécurité se contentait de vous donner une copie de la clé de votre chambre : vous frappez à la porte de la chambre 1507 au moment choisi pour le crime et, à travers la porte, vous prétendez être le directeur de l'auberge venu s'assurer que le climatiseur n'a pas lâché encore un coup.)

Ne pas oublier de changer un peu votre aspect lorsque vous jouez le rôle de Minor DeMortis. Inutile de se lancer dans des trucs compliqués, difficiles et qui demandent un temps fou, genre : se coller un faux nez. Il faudra, bien évidemment, masquer tous les signes distinctifs qui pourraient vous trahir, du type cicatrice de coup de sabre sur la joue. Cela étant, en général, côté déguisement, moins on en fait et mieux ça vaut. Une canne, on boite un peu, on se coiffe autrement, on porte des lunettes, vous voyez. Ah oui : Minor DeMortis parlera lentement et d'une manière un rien alambiquée – il n'est rentré de l'étranger que depuis peu.

Chaque fois que vous entrez dans la peau de Minor DeMortis, même lorsque vous êtes seul dans son appartement, vous vous en tenez strictement à cette apparence.

C'est aux environs de ce moment-là qu'il va vous falloir filer dans un de ces États plus ou moins sauvages où le dernier des mécréants peut s'acheter une arme – et en acheter une.

C'est aussi à ce moment-là que vous allez mettre sur pied une correspondance entre Minor et vous-même. C'est Minor qui lance le bouchon en expliquant qu'après bien des années, il est enfin de retour en Amérique et que, investisseur, il s'intéresse beaucoup à votre société, dont un ami lui a vanté les mérites. Vous lui répondez –

favorablement. La correspondance se poursuit, votre secrétaire en archivant toutes les lettres. Le jour où Minor décide de venir à l'auberge, vous dites à votre secrétaire que vous allez déjeuner avec lui.

Voilà comment vous vous y prenez pour examiner la chambre 1507 et y trouver l'endroit où vous cacher. La penderie ? La baignoire derrière le rideau de la douche ? Par terre, derrière le canapé ? Ce sera selon. (Si vous ne découvrez aucun lieu où vous cacher, revenez-en au plan C.)

Pour finir, le grand jour arrive. Votre secrétaire vous a réservé une place dans l'avion du matin pour la ville où habite Minor. Vous avez prévu d'y passer une nuit à l'hôtel et de rentrer dès le lendemain et, là encore, par l'avion du matin. Vous prenez votre avion, vous signez le registre de l'hôtel et vous rentrez aussitôt par l'avion suivant. Après quoi, vous vous rendez à l'auberge, y entrez sans vous faire remarquer (dans un endroit aussi public, cela ne présente aucune difficulté) et vous vous cachez dans la chambre 1507 en attendant l'arrivée de Blazes et de votre épouse.

A vous de choisir le moment où vous vous montrez enfin aux deux vauriens. Côté intensité dramatique, vous faites comme vous voulez. Vous préférez l'instant qui se prête le mieux à la comédie de bas étage ? A vous de voir. Toujours est-il que vous faites irruption et que, votre arme serrée dans une main gantée, vous leur annoncez que vous allez les tuer tous les deux. Le but de l'affaire ? Les amener à se trahir l'un l'autre en paroles, chacun vous suppliant de lui laisser la vie sauve.

Ayant ainsi obtenu satisfaction sur ce point, vous tirez

deux fois sur votre épouse, sous les yeux horrifiés de Blazes. « Et maintenant, à ton tour ! » criez-vous alors à votre ami. Il vous supplie, il mendie, il se traîne à vos pieds. Vous reconnaissez enfin, mais avec le plus grand mal – vous êtes très ému –, que oui : vous avez dû perdre la tête. « Donne-moi ton arme », vous lance-t-il. Vous la lui tendez, lui balancez une bonne giclée de gaz lacrymogène dans la figure, laissez tomber la bombe près du cadavre de votre femme (il vaudrait mieux que ce soit le sien) et vous partez. (Afin de faciliter votre fuite, il ne serait pas mauvais d'entrer en scène au moment où Blazes est nu comme un ver.)

Que vous vous cachiez dans une chambre vacante (en vous servant de votre passe) jusqu'à ce qu'on cesse de vous poursuivre ou que vous battiez aussitôt en retraite dépendra de la disposition des lieux. (Si vous vous en sentez, il ne serait peut-être pas mauvais d'entrer dans l'auberge et d'en sortir déguisé en petite vieille en fauteuil roulant à moteur.) Vous regagnez votre aéroport, vous prenez l'avion de nuit qui vous permettra de rejoindre l'autre ville, vous vous payez un bon gueuleton dans un grand restaurant avec beaucoup de passage, vous réglez la note avec votre carte de crédit à vous et vous rentrez à votre hôtel – où vous tombez sur une horde de policiers qui meurent d'envie de vous causer.

S'en tenir à la vérité – dans des limites raisonnables, s'entend. Vous leur dites que vous aviez des problèmes conjugaux, que, oui, vous étiez au courant pour Blazes, que c'étaient bien des considérations financières qui vous retenaient de quitter votre épouse et que, non, vraiment, vous ne pouvez pas dire que l'assassinat perpétré par Blazes sur la personne de votre femme vous tuerait de chagrin. Où vous trouviez-vous au moment critique ? Mais au restaurant, où vous dîniez avec DeMortis, oui : en ville. Même que vous deviez en être aux hors-d'œuvre à l'heure où s'est déroulé l'horrible forfait. La police, cela ne fait aucun doute, ne vous croira pas, mais ne pourra pas se permettre de vous embarquer avant d'avoir vérifié votre alibi. Vous les assurez que vous resterez à l'hôtel cette nuit-là – ce qui était prévu –, que vous ne rentrerez chez vous que par l'avion du lendemain matin et que, bien sûr, vous vous présenterez aussitôt à votre commissariat de police habituel. A un moment ou à un autre, les flics finiront par s'en aller. Et vous aussi, quelques minutes plus tard.

Veillez à vous transformer en Minor DeMortis avant de quitter votre chambre d'hôtel. Quittez ce dernier par la sortie la moins voyante et gagnez l'appartement de Minor, où le répondeur que vous avez installé vous recrachera un ou deux appels de la police. Appelez les flics, qui viendront vous voir à l'appartement de Minor. Vous (Minor) serez très choqué d'apprendre la mauvaise nouvelle, mais ajouterez qu'évidemment vous n'avez jamais eu l'honneur de rencontrer la victime et n'en connaissez l'époux que d'une manière superficielle. « Nous avons correspondu, leur préciserez-vous, et nous sommes déjà vus deux fois. » Oui, vous avez effectivement dîné ensemble, à tel restaurant, entre telle et telle heure. Après le dîner, vous êtes tous les deux montés à cet appartement pour discuter affaires, jusqu'au moment où vous (version originale) êtes rentré à votre hôtel.

Si jamais vous, Tim, deviez passer en procès, il est clair que l'astuce Minor DeMortis ne tiendrait pas une minute – mais cela ne se produira pas. Minor fera une déclaration (signée) à la police locale de son État, laquelle police la transmettra à celle du vôtre. Qui plus est, les inspecteurs chargés de l'affaire ne manqueront pas de découvrir toute votre correspondance dans vos dossiers. L'enquête de moralité sur DeMortis démontrera que celui-ci est un citoyen au-dessus de tout soupçon, qu'il n'a pas de casier et n'avait aucun lien avec vous avant que vous ne vous rencontriez.

Pendant les quelques semaines qui suivront, il faudra jouer les Minor DeMortis assez souvent et, une fois dans l'appartement de ce dernier, appeler fréquemment la police afin de lui demander où en est l'enquête et s'il ne serait pas nécessaire de témoigner où et quand que ce soit. Minor doit être un monsieur très franc et très coopératif. Jusqu'au jour, s'entend, où Blazes sera enfin inculpé du meurtre de votre femme. A partir de là plus personne d'officiel ne s'intéressera à votre double.

Tel est donc l'alibi que vous allez vous fabriquer. En dehors du plan C qui, je dois le reconnaître, froisse un peu mon sens de l'esthétique et que donc, je l'espère vivement, vous n'aurez pas à employer, je crois que ce scénario est plus qu'assez élégant pour un gredin de votre espèce.

Réponse de Peter Lovesey

Monsieur,

Zéro pointé, que je vous colle, moi, et deux fois : la première pour votre manque de tact et la seconde pour votre manque de précision. Avoir l'effronterie de me donner du « cher ami » ! De vos « amis », je ne suis pas, monsieur. Je préférerais encore frayer avec un Rottweiler ! Quant à l'alacrité avec laquelle vous vous proposez d'assassiner votre épouse ! Quel esprit dépravé vous faites ! Et vouloir ainsi faire porter le chapeau à votre meilleur ami : inique au possible ! La prose dont vous usez, alors ? La fange, oui !

Mégalomane, il est clair que vous l'êtes. C'est des conseils d'un psychiatre dont vous avez besoin, pas de ceux d'un auteur de romans policiers. Cela dit, tout aussi sûrement que les impôts et la mort finissent toujours par vous tomber dessus un jour, je sais que vous ne tiendrez aucun compte de cet avertissement pourtant bien sensé. Il est symptomatique de votre état que vous soyez justement incapable de comprendre tout ce que je pourrais vous dire du mal qui vous ronge la cervelle. Je me sens donc entièrement libre de vous assener tous les noms d'oiseaux de mon vocabulaire (qui est aussi vaste que le vôtre, croyez-le), mais, par pitié pour ceux et celles qui seraient obligés de lire ces lignes, je me contenterai de vous traiter de psychopathe, de dégénéré et de grand crassouillard. Grand *crassouillard*, voilà qui me plaît. Si je sais que rien ne vous dissuadera jamais de mener à bien votre projet assassin, c'est que vous êtes proprement impénétrable. Vous êtes manifestement fou et dangereux et, en tant que tel, menacez l'ordre social. Vous avez néanmoins une qualité qui vous sauve et c'est pour cela que je prends aujourd'hui la peine de répondre à votre invitation : vous êtes riche comme un porc.

C'est que je me suis renseigné. Vous êtes assez plein aux as pour me verser des annuités d'un million de dollars, disons, jusqu'à la fin de mes jours. Il ne m'en faudra pas moins pour me mettre à l'abri après avoir ainsi collaboré à vos projets homicides. Naturellement, j'ai ma petite idée sur la manière d'assurer ma liberté une fois l'affaire conduite à son terme. Je ne vous en dirai qu'une chose : ça vous coûtera cher. Mais vous verrez assez vite que ces dépenses devraient plus qu'avantageusement satisfaire les exigences de votre monstrueuse vanité. Mozart de l'assassinat, vous le serez, je vous le garantis.

La fin opportune que j'ai concoctée pour votre épouse satisfait toutes vos exigences de mégalomane. A ce propos : tous les grands assassins de l'histoire ayant été mégalos, il n'est nul besoin d'avoir honte de cette appellation. Le meurtre que je vous propose est d'un attrait si subtil – et d'une qualité telle – qu'à côté le plafond de la chapelle Sixtine du cher Michel-Ange n'est qu'amas de graffiti mal gribouillés. J'aimerais aussi vous faire remarquer ici que, mégalomane, je ne le suis pas moi-même, et me contente d'aspirer au titre de plus habile inventeur d'intrigues policières.

Et je m'en vais vous en donner la preuve séance tenante.

Cet assassinat sera unique en son genre et spécialement adapté à vos besoins en ce que, dans sa conception même, il prendra en compte les circonstances exactes dans lesquelles vous vous trouvez et tous les dérèglements de la cervelle qui sont les vôtres. Il vous faudra la patience du panneau en forme d'Indien qu'on posait autrefois devant les magasins de cigares, le sang-froid de la morgue et l'obstination dont fait preuve le sauteur en hauteur à son dernier essai – toutes qualités que, je l'espère, vous possédez.

Ceci afin de mettre ce crime à sa juste place : mon raisonnement se fonde sur l'étude des assassinats les plus sympathiques jamais perpétrés et répertoriés en Grande-Bretagne. L'exemple suprême en est la méthode de ce George Joseph Smith dont on peut vraiment dire qu'il avait quelque expérience dans l'art et la manière d'*expédier* les femmes puisque, en ayant épousé trois (dont deux en qualité de bigame, il faut le reconnaître) entre 1912 et 1914, il réussit quand même à toutes les noyer. Avec un beau sens de l'allitération, la presse l'appela le Flotteur de femmes. Charmant, n'est-ce pas ? Je suis bien sûr qu'avec moi vous conviendrez que votre entrée dans le *Who's Who* des meurtriers ne saurait s'accommoder d'un sobriquet moins évocateur. Ne vous inquiétez pas : ce sera fait.

Ce Smith fonctionnait à l'argent. Il cherchait des femmes crédules, les éblouissait avec ses mots d'esprit, les épousait, les amenait à s'assurer, puis les tuait, tout cela en un temps record. De chez le marchand de ferraille, il apportait un jour une baignoire en fer à sa maison et, joyeux drille, invitait l'aimée à y prendre un bain en sa présence. Il ne lui restait plus alors qu'à soulever madame par les jambes pour la noyer. Au rez-de-chaussée, la propriétaire des lieux n'entendait jamais qu'un léger soupir, puis le bruit insignifiant de deux bras s'affaissant de part et d'autre de la baignoire. C'est alors que Smith se mettait à jouer *Plus près de Toi, Seigneur* à l'harmonium. Le lendemain, il rapportait la baignoire au marchand de ferraille, s'évitant ainsi de la lui payer. Touchant, pittoresque et bien dans les mœurs de l'époque.

Vous vous demandez certainement pourquoi un artiste aussi peu affolé finit par se faire prendre. La réponse est claire : Smith était trop gourmand. Et recourait trop souvent à sa méthode. Le père d'une des victimes ayant lu un article consacré à un autre « accident de baignoire » dans les journaux, la police fut avertie. Voilà pourquoi je vous somme de n'user de ma méthode qu'une seule fois. Votre réputation devrait en être faite à jamais.

Sc serait-il contenté de noyer une seule de ses épouses que notre Smith n'aurait jamais eu à faire la connaissance du bourreau. Au procès, il ne fallut pas moins de sept heures d'explications au brillantissime médecin légiste Sir Bernard Spilsbury pour convaincre la cour que la méthode était bonne. Pour ajouter au sensationnel des débats, une démonstration fut organisée. On immergea une volontaire (en costume de bain) dans une baignoire et lui souleva promptement les jambes. Elle faillit bien y rester et ne dut son salut qu'à une jolie séance de respiration artificielle en plein prétoire. C'est dire si l'affaire fut fertile en détails intéressants. Et donc, n'oubliez pas : le Flotteur de femmes.

Un seul autre dossier (parmi tous ceux que j'ai étudiés pour vous) retiendra mon attention. Le crime s'est produit en 1949. Là encore, il y a de la baignoire, mais moins d'ablutions, l'histoire étant celle de John George Haigh, dit l'Assassin au bain d'acide. Si, côté allitération, le sobriquet n'est pas aussi charmant que celui donné à notre Smith, il se rattrape bien dans l'étonnante juxtaposition de mots qu'il propose à l'esprit : ah, la cruelle morsure de l'acide alors qu'on attend les doux plaisirs d'un bon bain ! De fait, Haigh ne doit sa singulière immortalité qu'à la méthode dont il usait pour se débarrasser de ses cadavres. Dans sa cour il avait toujours en réserve un fût de quatre-vingts litres (son « bain »), fût dans lequel il introduisait ses victimes avant de les recouvrir d'acide sulfurique. Un homme au vitriol, en somme – et au sens propre, encore. Huit corps en tout, et guère de restes. A la police qui enquêtait sur la disparition de toutes ces femmes, Haigh eut même le culot de rappeler qu'on ne saurait prouver la matérialité d'un meurtre sans cadavre qui corrobore les allégations de l'accusation. Malheureusement pour lui, les experts du laboratoire de médecine légale s'imaginèrent d'aller analyser la bouillasse qui clapotait au fond du tonneau. John George Haigh apprit alors, mais un peu tard, qu'il est des choses qui ne sont pas entièrement solubles dans l'acide sulfurique, en l'occurrence les calculs biliaires et les fausses dents.

J'imagine bien qu'arrivé à ce point de ma lettre, vous vous demandez ce que diable on peut tirer de l'étude de pareils échecs. Où m'emmène donc ce M. Lovesey avec ses George Joseph Smith et autres John George Haigh ?

A ceci : l'un comme l'autre, nos deux assassins avaient du nez pour ce qui est original. C'est la nouveauté même de leur forfait qui fit leur immortalité, la presse trouvant aussitôt le qualificatif qui dirait, et à jamais, la singularité de leurs crimes. Pensez donc : le Flotteur de femmes et l'Assassin aux bains d'acide. Tout un chacun qui entend s'assurer une place au Panthéon des meurtriers ne saurait négliger l'aspect relations publiques de son projet. Ce que l'on veut, c'est une méthode que la presse pourra résumer dans une expression évocatrice et lapidaire. Et ça, j'ai. La Méduse dans le jacuzzi. Ça vous plaît ?

Allons, comment cela pourrait-il ne pas vous plaire ? Un rêve de publicitaire, oui ! La formule accrocheuse par excellence, de celles qui, dans son baroque même, marquent instantanément et à jamais la cervelle. Poésie, équilibre, allitération[1], modernisme et, surtout, image qui frappe, tout y est. Un million de dollars à elle seule qu'elle vaut, ma petite trouvaille !

1. *The Jellyfish in the Jacuzzi*, en anglais *(NdT)*.

Telle sera donc votre affaire à vous, tel sera donc votre seul et unique *modus assassinandi*, celui qu'on n'évoquera plus qu'avec l'horreur la plus sacrée. « Quel concept ! se dira-t-on. La Méduse dans le jacuzzi ! Inventer un truc aussi bizarre n'est vraiment plus possible de nos jours. Un génie, ce type ! »

Et dire que je n'ai même pas commencé à vous dévoiler la beauté conceptuelle de votre affaire ! Parce que l'un de ses mérites sera bien qu'au contraire de la méthode de ce broyeur à bois qui semble vous avoir tant ravi, celle-ci ne laissera pas de cochonneries derrière elle.

Mais permettez que je satisfasse d'abord votre curiosité. Le jacuzzi vous appartient, bien sûr, et se trouve dans une pièce adjacente à la terrasse, à l'arrière de votre maison.

Passons à la Méduse. Je lui donne une majuscule, son rôle étant essentiel dans l'intrigue. Le zoologiste, lui, la connaît sous le nom de *Chironex fleckeri*, le commun sous celui de frelon des mers. A condition qu'on vous ait alloué quelque intelligence, vous avez déjà deviné que cette créature est surtout connue pour ses piqûres. Si dangereux est son venin que, dans le Queensland, les maîtres nageurs australiens – et ils sont pourtant bien en chair –, toujours enfilent des collants avant de s'aventurer dans l'océan quand ledit frelon des mers y rôde. Frottez-vous à un seul de ses tentacules et c'est la mort en moins de dix minutes. La femme qui aurait la chance de n'être point velue ? Ses souffrances n'excéderaient pas cinq minutes, et encore.

Que je vous raconte ce qui se produit. Arrivé à maturité, le frelon des mers est doté d'un corps qui, pour évoquer le melon côté taille, n'en a pas moins la forme d'une boîte cubique munie, à ses quatre coins inférieurs, de pédates qui pendouillent tels tentacules en rubans. L'adulte pourra en avoir jusqu'à soixante, tous capables d'atteindre les deux mètres soixante-dix de longueur bien que, rentrés, ils n'excèdent pas le petit mètre. En règle générale, le nageur qui entre en contact avec un frelon des mers découvre vite que tous ses membres sont pris dans les tentacules de l'animal. La douleur virant rapidement au calvaire, la victime se met à battre l'eau de tous ses membres, ces derniers s'en trouvant de plus en plus inextricablement emmêlés dans les pédates qui l'enserrent. L'activité musculaire que déploie ainsi la victime ne fait que faciliter l'absorption du poison. La respiration devient difficile, puis impossible.

Vous voyez déjà le tableau, je l'espère. En tant que personnage à part entière de votre plan, je dirais, moi, que cette Méduse sait s'imposer, non ? Qui plus est, dans l'eau, même claire, et parfaitement calme, notre frelon des mers est pratiquement invisible. Transparent – de fait, un rien laiteux d'aspect –, il est aussi vaguement teinté de bleu à l'endroit où les tentacules s'articulent aux pédalies. Vous voyez ça dans votre jacuzzi ? Bien sûr que oui, sauf que vous auriez toutes les peines du monde à remarquer la présence de notre bestiole si votre baignoire était du bleu-vert qui convient. Oui, même si vous saviez qu'elle s'y trouvait effectivement. A ce propos : une température d'environ vingt-cinq degrés centigrades est idéale. Comme certaines, que dis-je ? comme toutes les créatures des mers tropicales, notre *Chironex fleckeri* l'aime chaud. Si, si.

Afin de vous épargner la peine de vous ruer sur vos encyclopédies pour savoir où vous pourriez bien vous procurer pareil animal, je m'en vais vous décrire son habitat ordinaire. Japon, Chine méridionale, Vietnam, Philippines, Malaisie, Nouvelle-Guinée, îles Salomon, Bornéo et Nord de l'Australie, le frelon des mers patrouille les eaux côtières du Pacifique Sud. Des décès accidentels sont régulièrement signalés par la presse, les mois chauds d'octobre à avril voyant souvent les plages du Queensland complètement désertées par peur du danger. On n'est pas près d'oublier l'histoire cruelle de ce touriste anglais qui, abusé par un Australien, croyait que le frelon des mers était un insecte volant et décida donc d'aller tirer des brasses en mer avec, pour toute protection, un chapeau à larges bords sur la tête.

L'argent n'étant pas, à vous lire, un sujet d'inquiétude dans la préparation et l'exécution de notre chef-d'œuvre de l'assassinat, j'avais songé à vous demander de rejoindre le Nord de l'Australie en avion pour vous procurer la bête, mais ce ne sera pas la peine. Vous pourrez ainsi consacrer toutes vos ressources au règlement de mes honoraires. Je viens en effet d'apprendre que dans votre ville même, au Centre d'études sur l'anesthésie, soit à moins de cinq kilomètres de chez vous, on s'était lancé dans des recherches tout à fait remarquables, des savants tentant d'y produire des anesthésiants à spectre fort réduit et utilisant certaines propriétés chimiques du venin en question. Il se pourrait bien que leurs travaux soient couronnés par l'introduction sur le marché d'anesthésiants nettement plus sûrs que ceux dont on se sert aujourd'hui. Cela étant, pour ce qui nous concerne au moins, le fait le plus intéressant là-dedans est que votre Centre d'études abrite une salle où se trouvent quelque 250 aquariums où, chacun dans le sien, s'agitent de superbes frelons des mers adultes. Les systèmes de sécurité de l'endroit ? Je les ai étudiés de près : ce sera un jeu d'enfant.

Bref, les éléments essentiels de notre affaire sont à portée de main – de main gantée, je vous le suggère fortement. En outre, il ne m'a pas échappé que votre épouse avait accoutumé de tremper dans son jacuzzi le soir, avant de se retirer dans ses appartements. Dix minutes de tourbillons divers et madame se sent agréablement engourdie et prête à dormir – c'est bien ça ? Car, à vous lire, il ne saurait être question de l'engourdir par des moyens tout aussi nocturnes, mais bien plus plaisants – c'est bien ça aussi ?

Et donc, tous les ingrédients sont là, comme les pigments que le peintre dispose sur sa palette. Certes, tous les barbouilleurs du dimanche peuvent user des couleurs du grand Léonard, mais cela ne saurait suffire. Il faut encore le sens artistique véritable, et la main sûre du maître, si l'on veut atteindre au génial. Or, je ne l'ai pas oublié, votre crime doit être beau dans son concept, ingénieux dans sa réalisation, baroque dans son fondement et foisonnant de détails intéressants. Qui plus est, ce sera votre meilleur ami qui portera le chapeau.

Passons à la démonstration. Mais d'abord, accordez-moi, je vous prie, une attention sans faille, car dans l'instant je m'en vais porter le premier coup de pinceau sur la toile. Vous avez beaucoup de chance, vous savez? Observez, regardez comment l'affaire prend forme et se mue en image intelligible, appliquez, oui, votre intelligence tordue à ce processus en cours, et ravissez-vous de l'éclat du projet. Savourez-le aussi – vous le pouvez. Après tout, c'est vous qui payez.

Premier coup de pinceau, donc. Six mois, si ce n'est plus, avant que notre Méduse n'amerrisse dans son jacuzzi, laissez entendre à vos amis que vous avez décidé de vous lancer dans l'exercice de la pêche en eau douce. Rendez-vous chez votre fournisseur d'articles de pêche préféré et équipez-vous du nécessaire – cannes, cuissardes, filets, épuisettes, tout, quoi. Achetez-vous aussi quelques manuels du bon pêcheur et étudiez-les. Apprenez-en les rudiments essentiels. A trois heures de voiture de chez vous, sur les bords d'une rivière très poissonneuse, se trouve un superbe hôtel. Passez-y un week-end et, à Dieu vat, lancez votre gaule. Au cas où vous attraperiez quelque chose, ne manquez pas de rapporter votre prise chez vous – et de la mettre au congélateur.

Vous me suivez? Tels sont les préparatifs indispensables, les premières tentatives de mise en couleur, si je puis m'exprimer ainsi, la pertinence de ces dispositions n'étant toujours pas vraiment apparente.

Je vous suggère maintenant de mettre vos amis dans l'aventure. Vous appartenez sans doute à un milieu où, à tour de rôle, on aime à s'inviter. Au premier dîner auquel on vous priera d'assister après que vous vous serez lancé dans votre nouvelle passion, faites un cadeau à votre hôtesse. Au lieu des fleurs ou des chocolats habituels, offrez-lui donc un poisson congelé. Si vous n'en avez pas attrapé, vous pouvez, je vous y autorise, acheter une truite surgelée, en ôter l'emballage et la lui présenter dans un papier qu'amateur que vous êtes, vous n'aurez pas su ficeler comme il faut. Mais surtout, de la fierté dans le don. Et vous vous débrouillez pour qu'on aborde bien la question de votre soudaine frénésie de pêche au cours du dîner. Bref, rasez votre monde jusqu'à l'égarement, comme ne manque jamais de le faire le bon pêcheur à la ligne.

Et après, invitez votre vieil ami et pigeon de Blazes Boylan à s'en aller pêcher avec vous pendant un week-end. Il est peu probable qu'il décline l'invitation : après tout, il n'a guère envie de se faire un ennemi de celui dont il séduit déjà l'épouse. Au cas où il le faudrait néanmoins, n'hésitez pas à lui promettre un repas de gourmet dans l'un des excellents restaurants qu'on trouve aux environs de votre hôtel. Passez-y un week-end agréable avec ce bon vieux Blazes. Une fois que vous en serez arrivé à ce stade, vous n'aurez plus qu'un petit travail à accomplir – mais absolument. Je veux, oui, que vous vous procuriez ses clés afin d'en faire des empreintes. Il y a toutes les chances pour qu'il les ait dans sa poche, attachées à un porte-clés ordinaire.

Voici comment vous allez vous y prendre. La fin de la journée approchant, vous proposez à Blazes d'aller piquer une tête dans la piscine couverte de l'hôtel. Vous

vous changez au vestiaire, qui est surveillé par un des gardes de l'hôtel, celui-là même qui vous a donné vos serviettes, peignoirs de bain et autres paniers en fil de fer avant de vous assigner un numéro de panier. Blazes et vous vous changez et rendez vos paniers, dans lesquels vous avez déposé vos vêtements. Dans la poche de votre peignoir de bain à vous, vous avez placé une boule de Plasticine ou de simple pâte à modeler. Vous gagnez le bord du bassin. Mais, juste avant d'ôter votre peignoir pour plonger, vous consultez votre montre et voilà !... ah ! mon Dieu ! vous avez oublié de confier votre Rolex au gardien ! Vous dites à Blazes que vous n'en avez que pour une minute, revenez au vestiaire et donnez au gardien le numéro de panier de votre ami : dans l'instant, vous avez l'objet entre les mains. Vous en sortez ses clés, vous faites vos empreintes – clés de la maison et clés de la voiture –, vous remettez votre montre et votre pâte à modeler dans la poche de votre pantalon, vous remettez les clés de Blazes dans son pantalon à lui, et vous rendez son panier à l'employé. Puis, un jour que vous êtes assez loin de chez vous, vous allez voir un serrurier et lui demandez de vous faire des doubles de vos clés.

Patience, je vous prie. Nous sommes toujours à plusieurs mois du Grand Coup et, pour l'heure, mieux vaut se familiariser avec notre Centre d'études de l'anesthésie. Il est voisin de la réserve de médicaments. Allez y faire un tour entre une heure et deux heures de l'après-midi. Vous verrez qu'il suffit d'avoir l'air de travailler dans les lieux pour pouvoir s'y promener sans ennuis.

Cela dit, il ne serait peut-être pas mauvais d'enfiler une blouse blanche et des gants de chirurgien. Des monceaux de blouses – toutes fraîchement lavées – et de gants en latex se trouvent dans une salle spéciale au rez-de-chaussée, juste au-dessous de l'entrée principale. Prenez l'ascenseur jusqu'au premier et, ça y est, vous serez dans la salle des aquariums – où s'agitent nos chers frelons des mers.

Ah, quelles perspectives ne vous ouvre-t-elle pas, cette salle des aquariums ! Pensez donc ! Douze rangées de bassins maintenus à température constante, avec paroi frontale en verre et, chacun son sien, des dizaines de jolis frelons silencieux, transparents, sans substance et mollement avachis certes, mais ô combien mortels ! Les chercheurs de votre Centre ont montré, expériences à l'appui, que même diluée plus de 10 000 fois, la toxine du *Chironex fleckeri* pouvait tuer une souris en moins de temps qu'il n'en fallait pour retirer la seringue fatale du corps du pauvre animal. Étudiez la disposition des bassins et repérez celui qui vous paraît le plus facile à piller. Vous n'avez que peu de chances de croiser du monde dans la salle. Le personnel n'y pénètre que le matin afin de distribuer la nourriture liquide qui convient à nos frelons et de retirer de tel ou tel aquarium le spécimen qui sera nécessaire aux travaux du jour. On procède au prélèvement à l'aide d'un seau, manœuvre à laquelle vous aurez vous-même recours une fois le moment venu.

En attendant, revenons à notre toile de maître et procédons à nos empâtements : les lignes directrices ne vont pas tarder à apparaître. Deuxième petit souper entre amis

– le lieu n'a aucune importance. Une fois encore, vous pontifiez sur vos triomphes de grand pêcheur. La sonnette retentit à la porte d'entrée et vous interrompt. Votre hôtesse va ouvrir et, horreur des horreurs, se trouve nez à nez avec un requin de deux mètres cinquante de long. Dieu merci, l'animal est décédé. Le livreur informe la dame que la bête lui est bien destinée, le cadeau étant agrémenté du message suivant : « Dommage que vous n'ayez pas vu celui qui m'a échappé ! » Tout un chacun, bien sûr, a déjà quitté la table et c'est vous qui faites les frais de la bonne blague, laquelle a été assez joliment exécutée. L'air penaud, vous laissez tout le monde s'en donner à cœur joie.

Personne ne devinera jamais que cette bonne blague, c'est vous qui l'avez montée – et encore moins que vous l'avez montée en vous servant du nom de Boylan lorsque vous avez appelé le grossiste… de l'appartement même de votre rival ! Ce qui n'empêchera évidemment pas la police de constater que l'appel a bien été passé de chez lui, même si, de fait, Blazes ne s'en est pas aperçu en recevant sa facture de téléphone. *L'ennui** qui le ronge n'est-il pas tel que jamais monsieur ne se donne la peine de vérifier ses factures et se contente de signer les chèques qu'il faut ? Après tout, ce pauvre gland est tellement riche et tellement blasé que ce qui sort de son portefeuille ne l'intéresse même pas.

De tout ceci vous avez déjà déduit qu'il vous aura fallu le double de sa clé pour pouvoir vous introduire dans son appartement et y organiser votre *coup**. Et qu'une fois dans la place, vous aurez compulsé ses relevés bancaires afin de pouvoir donner le numéro de sa carte de crédit au grossiste. Dangereux, me direz-vous. Et s'il lui venait la fantaisie de rentrer chez lui inopinément ? Et si, alors, Blazes Boylan vous prenait en flagrant délit ?

Il y a peu de chances pour que cela se produise si vous avez été assez malin pour entrer chez lui un lundi, mercredi ou vendredi entre cinq heures trente et six heures trente, moment qu'il consacre à faire des gâteries à votre épouse dans la chambre 1507 de l'hôtel que vous savez. Mignon, non ? Vous avez enfilé des gants – je n'ai même pas besoin de vous dire pourquoi –, vous en profitez pour vous emparer des articles suivants : deux ou trois cheveux qui traînent sur l'oreiller de monsieur, ou sont restés accrochés à son peigne ou à l'intérieur de son chapeau ; plus une paire de sneakers.

Et maintenant, la touche du grand maître. Quelques semaines s'étant écoulées, l'heure est enfin venue de faire passer l'affaire dans le domaine public – spectaculairement, s'entend. Encore une fois, on va vous jouer un tour – mais quel tour ! Jamais les médias ne pourront y résister.

Un jour, vous rentrez chez vous en voiture et que découvrez-vous ? Une foule complètement surexcitée, mais de fort joyeuse humeur, massée devant l'entrée de votre demeure. Dans cette foule se trouvent beaucoup de vos amis. Vous descendez de votre véhicule et comprenez tout de suite pourquoi l'on rit : là, reposant mollement sur le toit de votre maison, une énorme baleine en plastique gonflable est allongée ! Un grand sourire vous barrant le visage – vous êtes *fair play* –, vous entrez chez vous et… votre maison n'est plus qu'un seul et même musée océanographique ! Tous les meubles ont disparu. A leur place s'entassent des dizaines d'aquariums. Dans votre living, dans votre cuisine, jusque dans votre salle de bain, poissons-zèbres [1], poissons-phares, scalaires, poissons combattants, poissons-anges, poissons arcs-en-ciel, exocets, orbes épineux et autres mollys noirs, tout n'est plus que bassins remplis de pichons exotiques. Votre piscine ? Pleine de truites. Des anguilles se tordent dans votre baignoire, des hippocampes se tirent la bourre dans le lavabo. Les photographes mitraillent, vous avez des caméras de télévision braquées sur vous, on vous brandit des micros sous le nez.

– Que dites-vous de ça, monsieur ?

– Reconnaissez-vous que le gag est hilarant ?

– Qui a monté le coup ? C'est pas *La Caméra invisible*, au moins ?

Vous les assurez que vous ignorez tout de l'identité du plaisantin – mais laissez tomber en passant que c'est sans doute un de vos amis… et demandez où est passé votre mobilier. Quelqu'un vous apprend qu'il a vu des déménageurs l'embarquer dans un grand camion, puis disparaître.

Vous faites contre mauvaise fortune bon cœur et souriez aussi fort que possible.

Au milieu de tout cela, voilà votre épouse qui débarque de son rendez-vous galant avec Blazes. Madame sombre aussitôt dans l'hystérie, c'est couru d'avance. Nos las-

1. Nom commun du *Neotephraeops*, poisson australien *(NdT)*.

cars de la presse adorent. Vous réconfortez votre moitié et lui dites que la plaisanterie est un peu exagérée : celui ou celle qui en a eu l'idée aurait quand même dû penser aux réactions de votre femme. Protecteur, vous lui passez les bras autour du cou… et posez pour la photo. C'est le moment ou jamais de montrer à tous que votre épouse, vous lui êtes fidèle et l'aimez. On joue son rôle à fond. Je veux vous voir en première page de tous les journaux d'Amérique : debout à côté de votre femme qui pleurniche, vous êtes le mari attentionné, celui qui, à jamais uni à elle, fait vaillamment tout ce qu'il peut pour sourire sous la cruelle adversité.

Des quatre coins du pays la sympathie monte vers vous.

Et dans l'instant – et avec quelle fièvre ! –, on se demandera lequel de vos amis a bien pu monter un coup aussi tordu. Ne vous ménagez pas pour chercher à savoir : on téléphone à tout le monde, Blazes y compris. Et tout le monde nie avoir jamais eu vent de l'affaire. Vous rappelez le gag précédent – le requin, vous n'avez pas oublié ? –, et déclarez que ce doit être l'œuvre du même plaisantin. Lorsque, un peu plus tard, deux ou trois camions de déménagement se pointent devant chez vous pour vous rendre vos meubles, et vous reprendre vos poissons, vous n'avez toujours pas trouvé. Aussi bien les aquariums ont-ils été livrés par le plus important grossiste de poissons exotiques de la ville. Les déménageurs vous racontent qu'ils ont reçu leurs consignes d'une firme spécialisée dans le télégramme avec petit bisou à la clé et la location d'habits de soirée. Ils ajoutent que ces instructions leur ont été données par téléphone, le commanditaire ne voulant à aucun moment leur révéler son identité. Tous les frais de l'affaire ont, bien sûr, été réglés d'avance, et comptant, la somme étant parvenue aux destinataires par la poste.

En réalité, le coup, c'est encore vous qui l'avez monté par téléphone, et toujours de l'appartement de Blazes. Ne pas en rajouter : à un moment ou à un autre, la police finira bien par remonter la piste téléphonique jusqu'à lui.

Nous en sommes arrivés aux ultimes coups de pinceau, ceux qui vont donner toute sa valeur et tout son cachet à votre chef-d'œuvre.

Vous annoncez à votre épouse qu'elle vous inquiète. Oui, vous portez une énorme responsabilité dans le calvaire qu'elle vient de subir. Si vous ne vous étiez pas pris de passion pour la pêche à la ligne – et n'aviez pas rasé vos amis avec ça –, jamais toutes ces horreurs ne se seraient produites. En guise de compensation, vous avez décidé de lui offrir le cadeau de sa vie : dès la fin du mois vous l'expédiez à la Foire aux chocolats, oui, vous lui faites présent d'un week-end entier dédié à la célébration (et à l'ingestion) de chocolats. Cette orgie à s'en lécher les babines se tient chaque année dans un centre de réunions situé à une trentaine de minutes de voiture de chez vous. Madame y aura sa place réservée dès le vendredi soir. Vous lui montrez le dépliant, sur lequel vous avez pris la précaution de faire disparaître tout ce qui pourrait être indications de prix et de dates.

On salivera beaucoup, c'est certain. Femme aux appétits excessifs, votre épouse en viendra même à baver, et littéralement, à la seule idée de pouvoir ainsi s'empiffrer de chocolats. Déjà, elle crève de devoir attendre. Et, c'est encore plus certain, clame son bonheur sur les toits. Gratifiant au possible. Hou là là, le généreux homme, le mari compréhensif que vous faites aux yeux de ses amis !

L'heure est venue de frapper.

Vendredi. Vous vous levez tôt et montez le thermostat du jacuzzi jusqu'à un très agréable 25 degrés Celsius : vous avez décidé de vous octroyer une journée de congé pour aller à la pêche. Et avez demandé à votre chauffeur de passer vous prendre à huit heures. Vous préparez vos affaires, et n'oubliez pas d'emporter avec vous certains articles qu'il va vous falloir : les sneakers que vous avez fauchés chez Blazes, une paire de gants en latex, une blouse blanche, le double des clés que vous vous êtes fait faire et, enfermés dans un petit sachet en polyéthylène, les cheveux que vous avez ramassés sur l'oreiller de monsieur. Juste avant de partir, vous montez voir votre femme dans sa chambre et lui annoncez votre départ. Vous passerez la journée à votre hôtel habituel et serez de retour avant minuit. C'est le chauffeur qui vous ramènera. Vous pouvez embrasser madame si vous le désirez – c'est la dernière fois que vous aurez à le faire –, et vous lui souhaitez beaucoup de plaisir à la Foire aux chocolats. Dites-lui que vous lui avez fait appeler un taxi pour sept heures moins le quart du soir, la Foire s'ouvrant sur une dégustation de fourrés à la liqueur aux environs de vingt heures.

Vous êtes déjà parti. En voiture – le trajet s'effectue en trois heures (230 kilomètres) –, vous passez d'agréables moments à tailler la bavette avec votre chauffeur. Comme d'habitude, il ira, lui, passer la journée chez sa sœur qui habite à huit kilomètres de votre lieu de pêche. Vers onze heures du matin, vous êtes enfin rendu à destination et prenez une bière à l'hôtel – une seule –, avant de gagner la rivière et d'y chercher un coin adéquat. Plus tard, vous retournez déjeuner à l'hôtel, où vous faites remarquer votre présence.

Aux environs de quatorze heures trente, vous filez en douce et, en marchant d'un bon pas à travers les bois, rejoignez l'aéroport local. Dans un sac, votre équipement vous accompagne. Les vols étant fréquents, vous prenez celui de quinze heures, et retrouvez votre cité en quarante-cinq minutes environ. Toujours à pied, vous gagnez le garage de Blazes. L'affaire vous prend une petite demi-heure. Vous enfilez les gants en latex que vous avez emportés avec vous. Vous passez votre blouse blanche de laborantin et chaussez les sneakers que vous avez volés à votre rival quelques semaines plus tôt. En vous servant du double de sa clé, vous ouvrez la portière de sa voiture. Vous vous installez au volant et vous rendez au Centre d'études sur l'anesthésie. Calmement, c'est essentiel, vous descendez au sous-sol, prenez l'ascenseur qui conduit à la salle des aquariums, choisissez un seau parmi tous ceux qui sont empilés par terre à votre gauche et, comme avec une louche, vous emparez de la Méduse qui a retenu votre attention. Avant de repartir, vous sortez deux cheveux de Blazes de leur sachet en polyéthylène et les laissez tomber dans le bassin vide. L'analyse à l'ADN, dite encore « empreintes génétiques », permettra vite aux spécialistes de la morgue de remonter jusqu'à votre petit copain.

Charriez le frelon des mers jusqu'au sous-sol et ôtez votre blouse, dont vous recouvrirez le seau. Regagnez votre voiture. Rentrez chez vous, en prenant bien soin de ne pas y arriver avant dix-sept heures dix. A ce moment-là, la bonne sera déjà partie et votre épouse sur le chemin de l'auberge où avec Blazes régulièrement elle se laisse aller aux émois du corps.

Entrez chez vous, déposez votre frelon des mers dans le jacuzzi, répandez encore ici et là quelques cheveux du bon Blazes – ne pas oublier les bords de la baignoire –, et laissez une empreinte de sneaker, légère, sur le tapis de la salle de bain. Reprenez la voiture pour retourner chez Blazes, rangez son véhicule dans le garage et seau, gants, sneakers et blouse blanche, éparpillez vos accessoires parmi toutes les cochonneries qu'on trouve généralement dans ce genre d'endroits. Ne vous inquiétez pas : les inspecteurs de la Criminelle n'auront aucun mal à les repérer. Ce sont des gens très méthodiques et têtus.

Après, bien sûr, vous reprenez le chemin de l'aéroport et montez dans le premier avion. Il y en a un à dix-huit heures. De retour sur vos berges, vous ramassez votre attirail de pêche et rentrez à l'hôtel, où vous dînez aux environs de dix-neuf heures trente. Le chauffeur vous reprenant vers vingt et une heures, vous serez de retour chez vous vers minuit.

Ce que pendant…

Il est, c'est vrai, tout à fait dommage que vous ne puissiez voir votre épouse se ruer à la Foire aux chocolats, mais non : c'est mieux comme ça. Votre alibi, vous en avez besoin. Il est certes encore plus dommage que vous ne puissiez pas davantage la voir cavaler à droite et à gauche dans son centre de réunions et, l'œil en crotte de chocolat farcie, s'enquérir de l'étage où on déguste les petits fondants. Tout aussi frustrant il est que vous ne puissiez encore la voir lorsqu'on lui annoncera qu'elle a une semaine d'avance sur ladite Foire... vu que celle-ci ne débute que le week-end suivant. L'ayant sorti de son sac, il n'est pas douteux que votre épouse brandisse alors furieusement son dépliant publicitaire sous le nez du réceptionniste, jusqu'au moment où celui-ci lui fera remarquer que, dans cette brochure, il n'est, comme ça se trouve, nulle part fait mention d'une date quelconque. Ce que madame pourra vous injurier !

Bien sûr que vous la voyez déjà en train d'arriver chez vous : ici, on jette ses affaires, là, on file un coup de pied au chat, et se rue sur la bouteille de gin, là encore, on en appelle aux dieux afin qu'ils déversent toute leur colère sur la tête de l'époux indigne. Il se peut même qu'elle s'immerge aussitôt dans son bain, mais il n'est pas non plus impossible qu'elle remette à plus tard. L'heure fatale n'a aucune importance. Créature de l'habitude, elle l'est et, tôt ou tard ce soir-là, elle finira par affronter son destin.

Et vous par trouver son cadavre, appeler les flics et leur laisser entendre, et comme il faut, tout le désespoir qui vous secoue.

Le reste suivra tout aussi sûrement que l'hiver vient après l'automne. On découvrira le frelon des mers, l'empreinte du sneaker, les cheveux qui confondent. On rappellera la triste histoire des plaisanteries de plus en plus sadiques dont vous avez fait l'objet. On remontera la piste du téléphone et celle des factures réglées à l'aide de la carte bancaire. Et quand la police s'en viendra frapper à la porte de Blazes, votre rival niera en bloc – naturellement. Mais toutes les preuves seront contre lui. La blouse de laborantin, les sneakers, les gants et le seau, tout sera retrouvé dans son garage. On découvrira même qu'il s'est servi de sa voiture pour apporter sa Méduse chez vous. Quelqu'un l'aura vu.

Très vite, la police comprendra que le coup n'était pas porté contre votre épouse, mais contre vous. Blazes ne pouvait pas deviner que, la date d'ouverture de la Foire aux chocolats étant erronée, votre femme rentrerait chez elle dans le courant de la soirée ! Comme si on ne lui avait pas laissé entendre que madame serait de sortie pendant tout le week-end !

La raison qui aurait pu pousser Blazes à se débarrasser de vous ? Claire comme de l'eau de roche : il était amoureux de votre femme. Il voulait qu'elle vive avec lui. La police continuant d'enquêter, les frasques de nos deux tourtereaux seront sûrement découvertes à un moment ou à un autre.

Quant à vous, c'est l'Indien-pancarte du début qu'il vous faut imiter. Et puisque vous avez l'air de beaucoup aimer les écrits de James Joyce, songez donc à cette phrase qu'il écrit dans *Portrait de l'artiste en jeune homme* : « Comme le Dieu de la Création, l'artiste restera en deçà, en retrait, au-delà ou au-dessus de son œuvre. Invisible, comme évacué de toute existence, il aura l'indifférence de celui qui se taille les ongles. »

Voilà mon scénario, et rien n'y manque. « Je souhaite commettre un assassinat tellement beau dans son agencement et ingénieux dans sa réalisation que vraiment il puisse aspirer au grand art », me disiez-vous ?

Comment pourriez-vous résister à ce que je vous propose ?

Réponse de Tony Hillerman

Cher ami,

J'accepte la tâche que vous me confiez. Les pages qui suivent constituent la solution que j'ai trouvée à votre problème. Celle-ci vous laissera libre de toutes poursuites judiciaires, heureux de savoir que vous avez puni votre ami déloyal et certain d'acquérir, après votre mort, la célébrité de celui qui commit un jour un crime parfaitement remarquable, brillant et ignoble, et s'en tira sans encombre. Suivez mes instructions et il ne vous en coûtera que le désagrément de passer une nuit au poste, deux au maximum si votre cité est servie par un coroner à l'esprit aussi lent que les décisions qu'il prend.

Mais, avant d'entrer dans le vif du sujet, permettez que je vous fasse ici une remarque d'ordre philosophique.

Je suis d'accord avec vous qu'il y a lieu de se plaindre : dans notre république, l'art de l'assassinat est effectivement sur le déclin. Vous l'avez remarqué dans vos contrées pour femmelettes de l'Est américain, imaginez un peu à quel point cette dégringolade peut nous chagriner, nous autres Occidentaux de l'outre-montagnes

Rocheuses. Ne connaissant ni le *ballet**, ni la lecture, ni le base-ball (division nationale) et autres passe-temps des plus aimables, nous avions fondé notre culture sur le vol et l'homicide, vidant tous les États sis à l'ouest du quatre-vingt-troisième méridien de leurs propriétaires légitimes, les massacrant même à grands coups de fusil pour passer, lorsque le stock de victimes fut épuisé, au carnage entre nous-mêmes. Nos *banditos*, les Jack Ketchum et autres Butch Cassidy, comptaient parmi nos géants de l'esprit. Il n'était pas jusqu'à nos hommes de loi – Wyatt Earp et l'infâme Shérif Brady qui s'illustra dans la guerre du comté de Lincoln en sont de bons exemples – qui n'aient été assez portés sur le crime pour mériter cent fois la corde.

Hélas, c'était hier. Aujourd'hui, vos soupirs le disent assez, nous ne pouvons plus nous vanter que d'une chose : la quantité. Petite s'il en est, ma bonne ville d'Albuquerque a connu, l'année dernière, quelque cinquante-deux hold-up de banques, ce chiffre étant tellement énorme que nos porte-flingues se virent contraints de dévaliser le même établissement plusieurs fois de suite. Et pas la moindre trace d'originalité ou d'invention dans ces délits – la remarque valant aussi pour la police qui enquêta sur ces affaires. Les seules arrestations auxquelles on ait procédé récemment se réduisent à celles d'un voleur qui avait cru bon d'emprunter un vélo pour filer, mais ne savait pas très bien en faire, et d'un autre larron qui, ayant décidé de se garer devant un guichet de banque *drive-in* et de faire connaître ses mauvaises intentions à l'employé par l'intermédiaire d'un billet qu'il lui avait tendu… attendit si longtemps, et patiemment, que la police finit quand même par venir le cueillir. Notre Federal Bureau of Investigations qui jadis, et entre autres choses, fut fondé pour protéger nos banques à l'époque glorieuse des John Dillinger et des Pretty Boy Floyd, se crut enfin obligé de sortir de sa léthargie. Et pour quoi faire ? Pour pondre un communiqué de presse dans lequel on s'en prenait aux systèmes de sécurité en usage dans les banques locales et tout aussitôt, bien sûr, se remettre à harceler des libraires qui, à son avis, passent leur temps à fourguer des ouvrages subversifs aux membres du Parti démocrate.

A la décharge du FBI, et de la police, il faut avouer que le genre de crimes qu'on leur propose n'a pas vraiment de quoi séduire le *gendarme** de base. Voilà pourquoi je suis heureux de me joindre aux efforts que vous déployez pour redorer un pcu le blason de cette noble activité.

Voici donc comment va marcher votre meurtre :

Vous appelez Police-Secours, dites au planton que vous venez de noyer votre femme dans sa baignoire et, après avoir donné vos nom et adresse au policier, attendez qu'on vienne vous rendre visite. Dès que les policiers arrivent, vous leur montrez la salle de bain où, nue dans sa baignoire, votre épouse flotte encore sur le ventre. Et vous expliquez qu'en rentrant chez vous, vous avez remarqué que votre femme se trouvait dans la salle de bain – et en avez profité pour fouiller rapidement dans son bureau : vous la soupçonniez d'avoir une liaison avec un de vos amis. C'est d'ailleurs cette fouille qui vous a permis de découvrir certain projet de contrat de mariage qui vous a confirmé dans vos soupçons : votre épouse projetait bien de vous quitter. Fou de rage et de jalousie, vous vous êtes alors rué dans la salle de bain, avez attrapé votre femme par le cou et lui avez maintenu la tête sous l'eau jusqu'au moment où, enfin, vous avez constaté qu'elle était toute molle et immobile. Ayant recouvré vos esprits, vous avez été pris de remords et avez appelé la police. Et êtes maintenant prêt à payer le prix attaché à votre forfait.

Parvenu à ce point de ma lettre, vous vous dites sans doute que la déception n'est pas loin : un crime parfait, ça ? Comme si ce scénario n'était pas typique du genre d'indigence à laquelle nous devons faire face aujourd'hui ! Comme si ce n'était pas là ce à quoi s'attend notre police qui meurt d'ennui !

Hé bien, oui. Et c'est même très exactement l'impression que nous cherchons à donner et maintenir dans les esprits !

Malheureusement pour vous, l'heure est maintenant venue d'endurer le seul désagrément inhérent à mon projet, mais, rassurez-vous, votre déplaisir sera de courte durée. On vous lira vos droits constitutionnels et, après vous avoir embarqué dans une voiture de police, vous serez conduit jusqu'au commissariat central, où on vous prendra vos empreintes digitales et vous signifiera les charges qui pèsent contre vous. Puis, votre avocat ayant été averti ainsi qu'il convient, on vous bouclera dans une cellule jusqu'à son arrivée. Nous pourrions évidemment nous débrouiller pour que, tout cela se produisant le matin, vous soyez libéré sous caution avant que les juges ne décident que la journée de travail est finie. Mais cela risquant de nous poser des problèmes par la suite, mieux vaut s'en tenir au crime commis en soirée. Une nuit au bloc ne vous tuera pas, si vous voulez bien me passer l'expression. Emportez quelque chose à lire. Deux ou trois romans de moi (tous soigneusement notés – titres et éditeurs – dans vos mémoires) constitueraient un hommage adéquat à l'être qui a ainsi accepté de vous guider dans votre entreprise.

Votre avocat étant arrivé, n'oubliez surtout pas ce que Benjamin Franklin a dit un jour des gens de cette espèce : « Dieu fait parfois des merveilles ! Or ça, que vois-je ? Un avocat honnête ? » Ou encore les thèses d'un John Keats qui proposait que, « du point de vue de l'histoire naturelle, on rangeât les avocats dans la catégorie des monstres ».

En d'autres termes, cessez de prendre votre homme pour un possible partenaire aux tournois de golf du mercredi. Voyez-y plutôt un des 75 000 prédateurs qui, aussi incroyable que ce soit, font partie du barreau américain. Un avocat pour 300 honnêtes citoyens ! Un loup pour 300 moutons ! A ce rythme, c'est à peine si nous aurons bientôt assez d'agneaux dans nos campagnes et cette idée-là, je veux que vous l'ayez toujours présente à l'esprit. Bref, *ne vous confiez pas à lui*. Si vous le faisiez, il serait capable de laisser tomber votre affaire, ce qui rendrait l'avocat général trop méfiant. Pourquoi votre avocat s'est-il retiré alors qu'il pouvait gagner de l'argent ? se demanderait-il. Parce qu'il y a anguille sous roche, pardi ! Ne pas oublier que votre avocat fait partie de la cour. Le mettre dans votre complot serait dangereux pour lui. Et, plus important encore, dangereux pour vous.

Vous déclarez donc à votre avocat que vous saviez que votre épouse vous trompait. Et que, pris d'un brusque accès de fureur, vous l'avez tuée. Et que vous voulez qu'il fasse savoir au juge que vous entendez plaider coupable et payer le prix qu'il faudra. Convaincre votre homme de votre parfaite sincérité : c'est bien en effet cette impression-là que vous voulez qu'il donne à l'avocat général.

Arrive l'inspecteur de la Criminelle. Il se peut même qu'il soit accompagné par un adjoint au juge d'instruction. Tout bien considéré, vous êtes quand même un citoyen de premier plan, et votre victime une dame fortunée appartenant à l'élite sociale du coin. Attendez-vous donc à beaucoup d'intérêt en haut lieu : le scénario que nous avons conçu avec le plus grand soin commence en effet à prendre un tour bien particulier.

Dans la salle des interrogatoires, l'entretien se déroulera *grosso modo* de la façon suivante. L'inspecteur vous demandera de lui raconter par le menu les événements qui se sont déroulés la veille au soir. Et vous lui direz ceci :

– Eh bien mais… j'ai perdu mon calme et j'ai tué ma femme. J'ai enfoncé la porte de la salle de bain, j'ai attrapé mon épouse par le cou, je lui ai cogné plusieurs fois le crâne sur le rebord de la baignoire et après, je lui ai maintenu la tête sous l'eau jusqu'au moment où j'ai senti qu'elle était morte. Je l'ai lâchée et vous ai tout de suite appelé.

Voici maintenant ce qui, toujours *grosso modo*, s'en suivra :

L'INSPECTEUR : Enfoncé la porte de la salle de bain ? Elle était donc fermée à clé ?

VOUS : Évidemment. Ma femme ferme toujours la porte de la salle de bain à clé.

L'INSPECTEUR : Vous avez donc essayé d'ouvrir et constaté que la porte était fermée à clé.

VOUS : Euh… enfin, non. Faut croire que non. J'étais fou de colère. De rage, même. J'ai enfoncé la porte, quoi ! Comme si ça pouvait changer les choses !

(Naturellement, vous et moi savons bien qu'en fait, ça change tout. Et que c'est même une des manières que nous avons d'éveiller les soupçons de la police – soupçons dont nous avons plus que besoin.)

L'INSPECTEUR : Votre femme vous a-t-elle parlé ?

VOUS : Je ne lui en ai pas laissé le temps.

L'INSPECTEUR : S'est-elle débattue ?

VOUS : Non… même que ça m'a surpris. Elle devait être déjà engourdie par le sommeil. Après, bien sûr, vu que je lui avais cogné le crâne sur le rebord de la baignoire…

L'INSPECTEUR : Avez-vous fait quelque chose à la porte après ça ?

VOUS : Comment ça : « fait quelque chose à la porte après ça » ? Que voulez-vous dire ?

L'INSPECTEUR : Voyons… l'avez-vous refermée à clé ?

VOUS : Non.

Puis, l'air surpris :

– Elle était cassée.

L'INSPECTEUR : Êtes-vous sûr que votre épouse fermait toujours la porte à clé quand elle prenait un bain ?

VOUS *(petit rire entendu)* : Dieu sait si elle avait des défauts, mais c'était une femme très pudique. Elle fermait toujours sa porte à clé.

L'INSPECTEUR : Sauf cette fois. Parce que si vous avez bien cassé la targette, vous n'avez pas bousillé la serrure. Tout ça pour dire que la porte n'était pas fermée à clé... Vous ne verriez pas quelqu'un qui aurait eu intérêt à tuer votre épouse, par hasard ?

VOUS *(l'air étonné, puis proprement stupéfait)* : Je ne comprends pas.

L'INSPECTEUR : Vous dites que vous vouliez tuer votre femme. Bon. Mais y aurait-il eu quelqu'un d'autre pour le faire si vous aviez renoncé à votre projet ?

VOUS *(en riant et secouant la tête)* : Bah, il y a bien Blazes Boylan, mon meilleur ami... même que c'est pour ça que j'en voulais tellement à ma femme : découvrir que c'était avec lui qu'elle me trompait ! Pauvre Blazes ! Lui avoir fait croire qu'elle allait l'épouser ! Quand enfin il a découvert que ce n'était encore qu'un des petits jeux auxquels elle aimait à se livrer, il m'a paru bien tourneboulé ! Au moins autant que moi ! C'est vrai qu'elle avait poussé un peu loin, à mon avis... Mais non, quand même : je n'aurais pas dû la tuer.

L'INSPECTEUR : Ce que vous n'avez pas fait. Même que nous allons devoir poursuivre ces entretiens jusqu'au moment où toute l'affaire sera éclaircie. Bref, vous ne quittez surtout pas la ville.

C'est à ce moment-là qu'il vous faudra faire un peu de

cinéma : on montre qu'on n'en revient vraiment pas, on pose toutes sortes de questions pertinentes, etc., etc. Et quand votre avocat se pointe pour vous ramener chez vous, vous fixer le tarif à grands coups d'explications oiseuses et vous révéler la suite des événements, on prend bien soin de jouer la surprise.

Que vous dira-t-il en effet ? Rien d'autre que ce que l'autopsie aura révélé. Savoir que, comme vous ne l'avez jamais ignoré, les contusions au cou n'ont pas causé la mort de votre épouse, laquelle n'avait même pas une goutte d'eau dans les poumons vu que, de fait, elle était déjà morte lorsque, après l'avoir jetée dans sa baignoire, vous lui avez cogné le crâne sur le rebord et maintenu la tête sous l'eau.

« Quoi ? vous écriez-vous. Une attaque ? Une crise cardiaque ? Mais… et cet inspecteur qui s'acharnait à me demander si, par hasard, il n'y aurait pas eu quelqu'un d'autre qui voulait la tuer ? » Votre avocat ne pourra pas vous éclairer – évidemment. Surtout résister à l'envie qui pourrait vous venir de même seulement lui laisser entendre que, peut-être, il s'agirait d'un empoisonnement. Quant à lui parler de champignons… hors de question. Car c'est effectivement ainsi que vous êtes parvenu à vos fins. Ne pas non plus me demander le nom de ces champignons assassins : la nature en regorge. Choisissez-en un qui ressemble beaucoup à celui dont les *gourmets** font grand cas dans les restaurants français. Vous n'avez qu'à consulter des livres à la bibliothèque : il y a tous les noms qu'il faut. Vous me payez mon plan d'attaque (et mes émoluments ne vont pas loin, je dois le dire) –

le travail de mulet n'est pas compris dans la note.

Pourquoi des champignons ? Parce qu'ils ont quelque chose de bizarre qui s'accorde bien à votre entreprise. Parce que, en votre qualité d'ancien étudiant en médecine, vous avez toujours des accointances, voire des amis, dans divers services de pharmacologie et de neurologie où on fait pousser des champignons et en étudie les effets sur le système nerveux. Parce que votre épouse se prend pour quelqu'un qui s'y connaît en cuisine, même si elle serait bien incapable de faire la différence entre l'horreur qu'au Texas on fait passer pour du chili et un très subtil et délicieux *hatch* ou *Chimayo green*[1]. Parce qu'en plus de se croire épicurien, votre cher Blazes s'imagine cuisiner comme un chef de restaurant quatre étoiles. Et enfin parce que vous avez, vous, envie de commettre un crime dont on se souviendra. Or, ce que nous sommes ici en train de mettre sur pied non seulement fera perdre à l'avocat général et à l'inspecteur de la Criminelle tout intérêt pour votre prétendue agression de cadavre, mais les enverra vite feuler à la mauvaise porte – dès après que nous la leur aurons montrée du doigt.

Permettez que je marque ici une pause afin de m'assurer que vous avez bien saisi la stratégie qui sous-tend la phase un de ce projet.

Il est clair que les relations que vous allez avoir avec l'inspecteur de police et l'avocat général devront être foncièrement antagonistes, et ce dès le début. La forma-

1. Sorte de ragoût aux haricots *(NdT)*.

tion de ces messieurs leur interdit d'ailleurs de se montrer sous un jour différent. Vous leur annoncez qu'en plus d'être riche, votre épouse a été assassinée ? A leurs yeux, vous êtes déjà la proie idéale. Comment surmonter l'obstacle ? En campant d'entrée de jeu sur leurs positions à eux. « Je suis coupable, faites votre devoir, pendez-moi ». Voilà ce que vous devez leur dire. Leurs habitudes feront le reste : la partie adverse, vous ne pouvez pas ne pas l'être. Vous démontrer que vous vous trompez les ravira. Ce qui, au stade où nous en sommes, signifie qu'ils sont contraints de vous prouver votre innocence. Le principe rappelle celui de l'art martial qu'on appelle judo et où on s'appuie sur l'élan même de l'agresseur pour lui faire perdre l'équilibre.

Et donc, on attend le lendemain et on voit que le plan a porté ses fruits.

L'inspecteur revient en effet avec des tas de questions supplémentaires – mais l'entrevue se passe chez vous, devant un plateau de thé posé sur la table : les attitudes ne sont plus du tout les mêmes. Il se peut que notre homme soit assez excité, voire tendu. Ce petit homicide domestique que vous lui avez offert fait déjà partie d'une grosse, d'une très grosse affaire. D'une affaire mémorable, même. C'est pour cela qu'il meurt d'envie d'en savoir plus sur les événements qui se sont déroulés plusieurs jours avant le meurtre. Et que vous, vous vous réjouissez de remarquer la curiosité dont il fait preuve à l'endroit de votre ex et très déloyal ami Blazes Boylan.

A ce stade, je vous verrais bien un peu saoul. Pas à ne plus savoir où vous en êtes, mais assez pour que les inhibitions tombent, pour que votre méfiance se dissipe, pour que vous puissiez parler plus franchement que ne vous le permettraient vos intérêts véritables. Un demi-shaker de martini sur la table et l'haleine chargée de gin. Mais on n'en a bu qu'une gorgée. L'esprit doit rester clair.

L'INSPECTEUR : Non merci. Je n'ai pas le droit de boire quand je suis en service.

VOUS : Un peu de thé, alors ? *(Vous remplissez votre verre de vermouth blanc et en avalez une deuxième gorgée. Petite.)*

L'INSPECTEUR : Vous a-t-on dit la cause du décès de votre épouse ?

VOUS : Non. Je pense à une attaque. Ou à une crise cardiaque. Elle se plaignait parfois de douleurs à la poitrine… mais refusait d'aller consulter.

L'INSPECTEUR *(l'air surpris)* : Vous n'avez pas lu le journal ? Ou regardé la télé ?

VOUS : Je ne m'en sentais pas.

L'INSPECTEUR : Empoisonnement aux champignons. Dix-huit morts… pour l'instant. Tous avalés au Yuppie Miam Miam.

VOUS : Quoi ? Les morts ?

L'INSPECTEUR : Non, les champignons.

(Pour le nombre de morts, je devine, bien sûr. Il pourrait être plus élevé, mais, c'est vrai, vous n'avez pas mélangé beaucoup de vos champignons mortels à ceux qu'on exposait dans la vitrine du traiteur. Quoi qu'il en soit, vu que l'établissement est surtout fréquenté par la classe dirigeante et que vos victimes seront du genre Ivy

League[1], il ne vous en faudra pas énormément pour que votre affaire se transforme en crime célèbre, voire historique. On n'en est pas à gazer tout un chargement d'ouvriers dans un autocar Greyhound.)

Jouer l'état de choc. On repose bruyamment ses lunettes sur la table. Ne pas oublier que votre visage doit dire aussi bien la surprise que vous éprouvez en apprenant des choses dont vous ignoriez tout que la stupéfaction d'être ainsi confronté aux premiers effets de votre duperie. Il ne fait aucun doute que l'inspecteur aura déjà percé les raisons que vous tentiez de lui cacher : petit vaniteux marié à une femme notoirement infidèle, vous trouviez plus honorable de vous faire passer pour l'auteur d'un crime passionnel (dont on va bientôt parler) que pour le pauvre type qui, jour après jour, devra se tenir à la barre des témoins pour y déballer publiquement toutes les liaisons passées de madame. Vous ne devriez pas avoir à beaucoup bavarder pendant cet échange. Laissez l'inspecteur parler à votre place. Rien n'est plus facile, pour l'instant. Car c'est maintenant que votre visage doit clamer l'horreur qui vous est venue en découvrant la vérité… les champignons ! C'est au fur et à mesure que votre inspecteur vous allège du fardeau de votre sombre et humiliant secret que vous devez commencer à essayer de comprendre de quoi il retourne vraiment. Besogneux comme la fourmi, l'inspecteur aura déjà déterré Blazes. Et donc, en calculant bien votre moment, vous lâchez le morceau… comme ceci :

1. Nom donné aux plus grandes universités privées de la côte Est des USA *(NdT)*.

– Ah, mon Dieu ! Un empoisonnement aux champignons ! Et dire que nous n'étions sortis qu'une fois... pour aller manger chez Blazes.

L'INSPECTEUR : Blazes Boylan ?

VOUS : Oui. Vous le connaissez, lui aussi ?

L'INSPECTEUR *(se penchant en avant avec un air extraordinairement intéressé, je vous le parie)* : Vous me racontez un peu ?

Et, bien sûr, vous lui racontez un peu. Pas tout de suite parce que vous en êtes presque – mais pas complètement – à vous incriminer vous-même. On avale encore une gorgée de vermouth blanc et on se laisse bluffer au point de tout cracher. Mais en montrant bien qu'on est on ne peut plus gêné et honteux de l'affaire.

Il semblerait, dites-vous à votre inspecteur, que depuis fort longtemps vous auriez cessé d'aimer votre épouse : en plus d'être une femme aux appétits voraces, elle était incapable de la moindre chaleur humaine. Il n'empêche : vous aviez besoin de son argent. (A moins qu'il ne le sache déjà, votre homme aura tôt fait de le découvrir.) Bref, depuis plusieurs années, il ne s'agissait plus vraiment que d'un mariage de pure forme. Et puis, ne voilà-t-il pas qu'il y a deux mois de ça, votre épouse décide d'ajouter Blazes Boylan à son tableau de chasse ? Qu'elle le séduit ? Et que lui, malgré toutes les mises en garde que vous lui adressez, il en tombe follement amoureux ? Qu'il vient vous voir pour vous demander de divorcer afin de pouvoir enfin épouser votre femme ? (Non, vous n'étiez pas tout à fait honnête quand vous avez mentionné pour la première fois cette affaire à notre inspecteur.) Toujours est-il que rien de ce que vous lui dites ne convainc Boylan que madame se joue de lui. Tant et si bien que vous promettez à votre ami d'aborder le sujet avec elle à la première occasion.

(Et là, je vous recommande de vous verser un autre vermouth blanc, mais léger !)

Vous dites à votre femme que Boylan est tombé amoureux d'elle, vous lui demandez de le laisser tomber en douceur, mais elle, qu'est-ce qu'elle fait ? Elle éclate de rire. Sauf que c'est aussi à partir de ce moment-là que l'intérêt qu'elle montrait à Blazes semble décliner. Votre ami le remarque – et vous questionne. Vous lui répondez que vous ne comprenez vraiment pas pourquoi. Il vous annonce qu'il va chercher à en savoir davantage. Et le lendemain, il vous appelle. Il est bouleversé et vous demande de le retrouver au club. Dès que vous arrivez, il vous parle de Weldon McWeinie.

L'INSPECTEUR : De... Weldon McWeinie ?

VOUS : Oui, quoi ! Weldon McWeinie, l'illustrissime prix Nobel... le poète national écossais, le séducteur de femmes, le *bon vivant**... le poivrot. Il est en ville, où il lit certains de ses poèmes dans des soirées. Et Boylan me dit alors que mon épouse a rencontré le gaillard à quelque raout des élites et que celui-ci lui a fait du rentre-dedans et que, ça y est : c'est avec lui qu'elle couche maintenant.

L'INSPECTEUR : Et alors ?

VOUS : Ben... on en a parlé.

L'INSPECTEUR : Et de quoi ?

VOUS : Blazes voulait rendre la monnaie de sa pièce à McWeinie.

L'INSPECTEUR : Comment ?

VOUS : Eh bien… j'ai suggéré à Boylan d'inviter le grand poivrot à une soirée entre gens comme il faut. Entre gens qui ont des manières, quoi. Histoire qu'on voie de quoi il était fait. Les poètes seraient plutôt du genre ours mal léché, enfin… souvent.

L'INSPECTEUR : Comment ça ?

VOUS : Comment ça quoi ? Comment ça *ours mal léché ?* Vous avez oublié la remarque de Bernard Shaw disant que le gentleman est homme à savoir jouer de la cornemuse, mais à s'en dispenser ? Hé bien, McWeinie, lui, il en joue.

L'INSPECTEUR : Non, je voulais dire : comment vouliez-vous vous y prendre pour voir de quoi ce McWeinie était fait ?

VOUS : En le poussant à raser tout le monde en jouant de la cornemuse. En faisant en sorte que ma femme soit complètement dégoûtée de lui.

(On reprend une petite gorgée de vermouth blanc.)

L'INSPECTEUR : Qu'avez-vous décidé ? Et quel rapport cela a-t-il avec l'assassinat de nos huit personnes ?

VOUS : C'est que Blazes adorait faire la cuisine, vous voyez ? Il a donc décidé de convaincre ma femme d'inviter McWeinie à dîner chez nous. Ce serait lui qui s'occuperait de la bouffe. On ferait des petits plats fins. Et on mettrait assez de saloperies dans l'assiette de McWeinie pour qu'il finisse par se vomir dessus. D'après Boylan, ça devait suffire à dégoûter ma femme.

L'INSPECTEUR : Minute. Pourquoi aurait-il été persuadé que votre épouse accepterait de donner cette soirée ?

VOUS *(on fait semblant de beaucoup rire – c'est recommandé)* : Blazes n'est peut-être pas très malin, mais il connaissait bien ma femme. Recevoir son dernier gigolo chez son mari et sous le nez de son amant ne pouvait que la séduire. Et ça n'a pas raté.

L'INSPECTEUR : Et Blazes a concocté son plat de champignons ?

VOUS : Je ne sais pas. J'avais retiré mes billes. Et McWeinie aussi. C'est Blazes qui m'a annoncé qu'en fin de compte, le poivrot ne viendrait pas. Blazes, lui, nous cuisinerait quand même un bon repas… pour ma femme et pour moi. *(Et ici, le frisson est de rigueur.)* Mais comme, moi, je ne supporte pas de voir ma femme travailler un autre homme…

L'INSPECTEUR : Toujours est-il que quelqu'un a fait manger des champignons à votre épouse. Des commentaires là-dessus ?

VOUS *(l'air de réfléchir. Voix un rien pâteuse et on reprend une gorgée de vermouth)* : Ben, c'est-à-dire qu'on avait quand même parlé champignons. Je crois même avoir dit à Blazes qu'il y en avait qui faisaient dégueuler. Et qu'il y en avait d'autres qui étaient complètement mortels. J'ai même dû ajouter que j'en connaissais certains à cause de mes études de médecine et lui, il m'a demandé si on pourrait pas s'en procurer quelques-uns dans un labo. Et après, de fil en aiguille… (On hésite, on a l'air très coupable.) Ce qui fait que j'ai fini par appeler un ami dans un labo de pharmacologie et qu'on s'est fixé un rendez-vous.

L'INSPECTEUR : Et donc, vous êtes allés à ce laboratoire

de pharmacologie. Et c'est là que quelqu'un vous a montré des champignons mortels...

VOUS : Le docteur Dottage[1], qu'il s'appelait. C'était un ancien professeur à moi. Je lui ai dit que Blazes était grand amateur de champignons et qu'il voulait être sûr de ne pas se tromper dans son choix.

L'INSPECTEUR : Et Blazes a volé des champignons vénéneux...

VOUS : Pas que je sache. Moi, je ne l'ai jamais vu en prendre un seul.

L'INSPECTEUR : L'aurait-il pu ?

VOUS : Ben, c'est-à-dire que... oui. Oui, je crois qu'il aurait pu en piquer quelques-uns... pendant que Dottage et moi, nous évoquions le bon vieux temps. Oui, il aurait très bien pu s'en fourrer quelques-uns dans la poche.

Et, bien sûr, vous vous débarrassez de l'essentiel des champignons que vous avez fauchés sous la barbe de ce pauvre Dottage qui n'y voit rien en les éparpillant çà et là dans la vitrine de champignons du Yuppie Miam Miam. Vous en gardez juste assez pour faire sa fête à votre épouse et en mettre quelques-uns dans la poche de Blazes. Même que c'est là que lorsqu'il ira vérifier, votre inspecteur découvrira, dans la poche gauche de la veste de votre ami, des fragments de terreau et de champignons qui l'accusent. Il y trouvera aussi une fiche de caisse du traiteur – laquelle fiche fera clairement apparaître que s'il lui a effectivement acheté des trucs de gourmet, jamais Blazes ne lui a acheté le moindre champignon vu que, de

1. Soit : gâteux, en anglais *(NdT)*.

ce côté-là, votre ami en avait plein la poche, tous fournis par vous. Et quand notre inspecteur se pointera au labo, le vieux Dottage se souviendra de la visite de Boylan et, naturellement, lui signalera la disparition de certains de ses champignons. Je vous recommande aussi de laisser traîner un exemplaire d'*ABC contre Poirot* sur l'oreiller de Boylan, afin que notre inspecteur s'imagine que c'est dans ce livre que Blazes a trouvé l'idée de cacher son meurtre au milieu d'une foule d'autres. C'est le genre de trucs qu'ils adorent, les inspecteurs de police. Et que dira l'immonde Écossais lorsque notre inspecteur lui parlera ? Il dira que oui, assurément, un certain Boylan lui a téléphoné pour l'inviter à dîner. Mais ajoutera qu'il a envoyé balader le bonhomme. Toutes choses qui seront parfaitement exactes, à ceci près que ce sera vous, et non pas Blazes, qui aurez appelé.

Et que dira Blazes lorsque l'inspecteur viendra le voir ?

Il dira qu'il n'a jamais appelé McWeinie. Qu'il n'a même jamais entendu parler de ce monsieur. Et qu'il n'a pas fait la cuisine pour la grande réception donnée par votre femme. De fait, il précisera que pendant que vous racontiez à notre inspecteur qu'il était effectivement en train de cuisiner des petits plats… c'était avec vous qu'il se trouvait : vous étiez allé voir *Le Chauffeur de Miss Daisy* au Paramount. (Chose que vous aviez évidemment arrangée afin d'être absolument sûr que Boylan n'aurait d'autre témoin que vous pour justifier son alibi. J'espère que vous avez remarqué le soin que j'ai mis à respecter vos goûts cinématographiques. J'aurais très bien pu vous envoyer voir *Rocky V*.)

Est-il nécessaire de marquer une autre pause et de vous dire comment vous y prendre pour faire avaler vos champignons à madame ? Il est évident que le coup devra être exécuté un jour où votre cuisinier sera de sortie. Vous voulez vraiment une idée ? Essayez donc de saupoudrer quelques miettes de champignons sur la salade. Si vous optez pour la soupe, veillez à ne pas faire cuire celle-ci trop longtemps.

Le seul doute qu'il puisse vous rester maintenant concerne sans doute les mobiles de Boylan. L'inspecteur a déjà celui qui l'a poussé à tuer McWeinie (à condition, naturellement, que supprimer un joueur de cornemuse ne soit pas suffisant en soi), mais bon : pourquoi Boylan aurait-il pu vouloir assassiner votre épouse ? Sur ce point, nous n'avons toujours rien donné en pâture à notre policier.

Ce qui est parfait ! Se garder de changer quoi que ce soit à la situation ! Si notre inspecteur vous pose des questions là-dessus, répondez-lui que vous n'arrivez pas à comprendre. Que vous n'en avez pas la moindre idée. Après tout, il avait quand même l'air de bien l'aimer, votre femme, ce M. Boylan ! Et vous, malgré la colère dont vous lui avez déjà parlé, vous avez toujours du mal à croire que votre ami ait pu vraiment s'imaginer que votre femme vous quitterait pour l'épouser.

Pourquoi cette stratégie ? Ne pas oublier les thèses que vous avancez dans votre lettre. Si vous et moi, qui ne sommes que de pauvres *amateurs**, déplorons déjà le déclin dont souffre l'art de l'assassinat, pensez aux frustrations que doit éprouver le professionnel qui, une heure de travail après l'autre, est obligé de vivre avec ça. Un pilleur de banques qui remplit une demande de prêt en attendant de détrousser le guichetier ! Et qui la laisse derrière lui avec tout ce qu'il faut : nom, prénoms, adresse et numéro de téléphone ! Un autre pilleur de banques qui, lui, tend un bout de papier à l'employée pour qu'elle lui file tout le liquide qu'elle a en caisse ! Elle lui répond qu'elle n'en a pas le droit s'il ne lui montre pas une pièce d'identité et qu'est-ce qu'il fait ? Il lui tend son permis de conduire ! Des inspecteurs qu'on appelle parce que, après avoir dévalisé un commerce, les gangsters ont traîné le coffre-fort de l'établissement tout le long de la rue… derrière leur voiture ! Le coffre n'étant pas des plus légers, et la rue goudronnée, il y a des traces partout. Les policiers suivent ces dernières et se retrouvent devant le domicile du coupable. Qu'on ne vienne pas me dire que pour l'inspecteur qui prend son travail à cœur, il y a là de quoi se réjouir. Donc, on lui laisse un petit quelque chose à faire tout seul.

Cela étant, s'il s'avérait que traiter depuis des années avec des criminels à la cervelle pareillement inexistante avait émoussé l'intelligence de notre fin limier, vous trouverez ici deux formulaires de contrat de mariage que j'ai ramassés dans une papeterie/magasin de fournitures pour notaires. J'ai pris la liberté d'inscrire les noms de Blazes et de votre épouse aux endroits voulus (en me servant d'une machine à écrire de démonstration exposée dans la boutique). Vous remarquerez que je stipule que les biens des deux parties seront confondus dès le mariage, mais que si jamais celui-ci venait à être dissous par l'une ou l'autre de ces mêmes parties, tout retournerait à votre épouse. Je vous suggère d'en laisser un exemplaire sur le bureau de votre femme dès après que vous aurez traîné celle-ci jusqu'à la salle de bain et que vous l'aurez jetée dans la baignoire. Le deuxième exemplaire ? Déchirez-le en mille morceaux comme si vous aviez été subitement pris d'une crise de folie furieuse (les policiers adorent ce genre de travail de reconstitution). Et déposez vos bouts de papier dans la corbeille de Boylan quand vous viendrez le chercher pour aller au cinéma avec lui.

Est-il vraiment nécessaire de vous demander de me régler en liquide ?

Réponse de Sarah Caudwell

Mon cher Tim,

Permettez-moi de vous dire, avant même de commencer, que je ne saurais entendre parler d'un quelconque assassinat perpétré aux États-Unis d'Amérique. C'est tout simplement hors de question.

Ce n'est pas seulement au meurtre que vous aspirez, mais aussi à l'Art et, dans toute œuvre d'art, le choix du lieu est d'une importance capitale. En plus d'avoir son charme propre, ou son intérêt particulier, le lieu doit faire subtilement écho aux qualités du sujet que l'artiste entend souligner ; il doit aussi fournir toutes les références historiques et littéraires ô combien nécessaires à la profondeur et aux résonances de l'œuvre. Mais, plus que tout cela encore, le lieu choisi doit offrir un contraste tel que le sujet principal s'en détache tout aussi fort qu'une chose qui frappe par sa singularité. Peindre le portrait d'une femme jeune et belle, c'est s'interdire de placer celle-ci au milieu d'un groupe de femmes tout aussi jeunes et belles qu'elle.

Je suis désolée d'ainsi offenser votre patriotisme, mais

vous ne pouvez pas ne pas voir que vos États-Unis d'Amérique ne sauraient faire l'affaire. Dans un pays où le nombre des homicides quotidiens est trop énorme pour qu'on puisse même seulement tous les évoquer aux informations télévisées… et où tout bambin en âge d'aller à l'école espère bien avoir une arme à feu à Noël ou à son prochain anniversaire, où tout différend entre automobilistes, même mineur, se règle à coups de carabine, etc., etc., dans un tel pays donc, quel que soit l'intérêt ou la bizarrerie du moyen employé, votre meurtre aura de fortes chances d'être considéré comme des plus communs.

Non, Tim, si vous voulez vraiment vous distinguer en cette matière, il va falloir traverser l'Atlantique.

L'Europe continentale regorge d'endroits qui, d'un point de vue purement esthétique, devraient pouvoir satisfaire vos exigences. La paisible et belle vallée de la Loire, où, pour ne prendre que ces deux exemples, les pierres des châteaux de Blois et d'Amboise suintent encore du sang de toutes sortes d'intrigues médiévales, les grandes cités italiennes dont les rues semblent toujours hantées par les fantômes d'assassins masqués et dissimulant leurs dagues ornées de pierres précieuses sous de vastes capes, les sombres cimes où, tout au bord de la mer Égée, Clytemnestre jadis accueillit Agamemnon à son retour de Troie, Mycènes où tout n'était qu'ors et assassinats…

Voilà des lieux qui, pour le romancier, sont quasiment irrésistibles. Mais vous, c'est un meurtre que vous avez à commettre et les questions pratiques ne sont pas à négliger. Vous aurez déjà assez de mal à vous acquitter de votre tâche sans aller en plus vous compliquer la vie avec des problèmes linguistiques assez prévisibles. C'est donc en Angleterre que je vous suggère de perpétrer votre forfait.

En Angleterre en effet, malgré les ravages du modernisme, vous trouverez encore un vaste choix de lieux pittoresques et adéquats – et un climat social dans lequel, au moment où je vous écris ces lignes, le meurtre est toujours considéré comme un acte extraordinaire et terrifiant en soi. Considérez aussi que, avantage supplémentaire, l'Angleterre a aboli la peine de mort. (Je comprends, bien sûr, que même dans votre pays, être blanc, bien éduqué et riche exempte à tout coup d'une peine aussi extrême, mais ici, en Angleterre, pareil risque n'est même pas à envisager du point de vue théorique.)

Et puis... l'Angleterre n'est-elle pas le berceau du roman policier, type de récit où le meurtre n'est que le point de départ d'un exercice intellectuel fascinant et le cadavre rien de plus qu'une nécessité un rien répugnante ? Non, si vous désirez que votre œuvre soit élevée au rang de classique du genre, l'Angleterre n'est pas loin d'être un *sine qua non*.

Mais, mais, mais... toutes choses étant égales par ailleurs, l'Angleterre serait-elle le lieu vraiment adéquat pour vous ? L'Écosse est, oui, la terre de mes ancêtres et je vous demande pardon de penser, voire prétendre – serait-ce donc un préjugé sentimental de ma part ? –, qu'ici seulement on peut commettre un crime vraiment magnifique.

Vertes vallées et landes désolées, je ne songe pas seulement aux sauvages grandeurs de nos paysages, ni non plus aux beautés de nos sombres montagnes et lochs insondables. Le meurtre en Écosse – allez donc savoir pourquoi – paraît toujours plus tragique et d'une richesse à laquelle on n'atteint que rarement par-delà notre frontière méridionale. Au contraire de ses frères d'Angleterre, le meurtre écossais n'est point le résultat aléatoire de quelque pulsion passagère, mais le fruit d'une passion amère que longtemps on a nourrie dans les ténèbres d'un être qui, au-dehors, est l'image même du calme et de la modération.

Aucun pays ne saurait se comparer à l'Écosse, ni aucune ville à celle d'Édimbourg.

En serait-il donc une autre qui plus que celle-ci semblerait ainsi expressément conçue pour symboliser la dichotomie entre raison et passion, entre la lumière et les ombres qui se disputent l'humaine psyché ? A travers elle court la longue et profonde saignée des jardins de Prince Street avec, d'un côté, l'ordre classique de rues larges et de places élégantes qui disent le XVIIIe siècle, et, de l'autre, les ténébreux méandres et les escaliers étroits de la vieille cité médiévale, l'ensemble étant dominé par les sombres et majestueux contours du château et de la cathédrale.

Votre crime – est-il besoin de le dire ? – devra se produire en automne, époque où se déroule le Festival d'Édimbourg. Dramaturges, acteurs, compositeurs, chanteurs et poètes, des artistes du monde entier s'étant rassemblés dans notre cité pour présenter leurs œuvres à un public international, ce sera là que, vous aussi, vous leur soumettrez votre chef-d'œuvre. Je ne doute pas que mon idée vous semble irrésistible.

Et pourtant... Tim, commenceriez-vous à perdre patience ? Serait-ce possible ? Penseriez-vous donc que je me suis étendue un peu trop longtemps sur la question du paysage au lieu d'aborder tout de suite celles de l'arme, de l'alibi, du poison qui ne laisse pas de traces et autres semblables gadgets ? En seriez-vous déjà à vous dire qu'aller assassiner des gens à Édimbourg est tout bêtement trop compliqué ? Oh, j'espère bien que non.

Bien sûr, si vous ne songez qu'à commettre un meurtre ordinaire, un meurtre de balourd et qui fasse seulement l'affaire, si vous n'avez pour tout propos que celui de vous débarrasser de votre épouse sans vous faire prendre, alors, oui, il n'y a nul besoin de se compliquer ainsi l'existence. Sans même franchir le seuil de votre maison, vous pourriez arranger un de ces innombrables accidents que les statisticiens considèrent comme inhérents aux hasards de la vie domestique. Votre épouse pourrait trouver la mort dans sa buanderie ou à la cave à charbon et n'être, horreur, habillée que d'une informe salopette et entourée, la pauvre, par tous les accessoires trivialement sordides de la femme au foyer. Mais si c'est cela, et cela seulement, que vous désirez, je vous prie, moi, d'aller demander conseil ailleurs – vous n'êtes pas, tant s'en faut, l'assassin que je m'imaginais.

Mais non : vous m'avez bien dit, je vous le rappelle, que vous aspiriez au grand art. Et donc, comment pourriez-vous espérer y parvenir sans être prêt à vous donner toutes les peines qu'exige la rédaction d'un grand roman ou l'achèvement d'une toile qui sorte de l'ordinaire ? *Ars longa, vita brevis.*

Tous les détails de l'œuvre d'art véritable doivent être choisis avec le plus grand soin afin de contribuer à la réussite finale – à ce qu'Aristote aurait appelé la *catastrophe*. L'affaire, et c'est bien là que réside le paradoxe artistique, devra pourtant être menée avec une habileté telle qu'on en croira que, justement, elle n'exigeait aucune habileté particulière, notre *catastrophe* paraissant découler tout naturellement, et nécessairement, de protagonistes dont les actes devront eux-mêmes paraître découler, et tout aussi naturellement et nécessairement, de leurs caractères et de la situation dans laquelle ils se trouvent. En réalité, bien sûr, c'est l'artiste qui commande à leurs destinées, l'art ne pouvant s'accommoder ni du hasard ni de ce qui n'aura pas été pensé de bout en bout.

Voilà pourquoi, à mon avis, un meurtre sans mobile ne saurait avoir le moindre mérite artistique, même si, évidemment, il peut comporter tel ou tel trait qui lui donne un semblant de beauté. Prenons un exemple : vous me dites que les crimes de Jack l'Éventreur vous fascinent assez. Mais cela ne viendrait-il pas du fait – et ce fait serait-il vraiment un hasard ? – qu'ils eurent pour toile de fond le paysage dans lequel Sir Arthur Conan Doyle décida de faire évoluer son Sherlock Holmes ? Ne serait-ce pas plutôt les lampadaires à gaz de l'ère victorienne, les lugubres appels de la corne de brume au-dessus de la Tamise, le vacarme des fiacres sur les pavés et la bonne grosse silhouette d'un inspecteur Lestrade poursuivant son meurtrier avec une folle incompétence qui conféreraient mystère et pittoresque à une série d'assassinats que, le décor étant planté autrement, on trouverait banale au-delà de tout espoir ? A l'assassin, j'en ai peur, n'est même pas dû le modeste crédit que l'on pourrait allouer au plagiaire astucieux, et je doute fort qu'il se soit montré plus artiste en choisissant ce décor qu'en optant pour tel ou tel assemblage de cailloux qui, par hasard, fait songer à une sculpture.

Non, le crime sans mobile ne m'intéresse pas plus que le roman sans intrigue. De fait même, il me semble beaucoup ressembler à toutes ces divagations et autres amas de banalités répétées qui, sans que celles-ci les aient en rien sollicités, circulent de maisons d'édition en maisons d'édition et, dans l'instant, paraissent proprement impubliables au lecteur le mieux disposé.

Oh, j'en suis d'accord avec vous, le meurtre sans mobile est de ceux qui peuvent échapper à la police, mais est-ce vraiment de cela que nous parlons ? Supposez qu'au dernier chapitre d'un roman policier on vienne vous dire que le meurtre dont on vous a rasé n'avait, en plus, aucun mobile. Vous mettriez-vous alors à applaudir l'habileté qu'aurait déployée l'auteur en vous masquant l'identité du coupable ? Non. Justement indigné et furieux d'avoir gaspillé votre temps à lire un récit aussi fat, vous jetteriez votre livre. Et, permettez que j'insiste, vous ne le feriez pas seulement parce que, être puéril, vous penseriez que l'auteur a *triché*, mais parce que, du point de vue de l'art, rien de tout cela ne peut satisfaire :

ne procédant pas de ce qui l'aurait précédée, la *catharsis* serait tout simplement inexistante.

Analysons donc la nature précise de cette *catharsis* que vous cherchez à construire. Elle ne saurait, à mes yeux, se confondre avec l'instant où périt votre épouse, même si cet événement doit nécessairement la précéder. Non, le moment clé est celui où l'assassin est découvert, par vous ou par d'autres témoins, sur les lieux mêmes de son crime, soit : à côté du cadavre de votre épouse – et l'arme à la main. Comment procéder ? Je ne dis pas que cela soit facile – si ça l'était, nous n'aurions pas affaire à de l'Art –, mais je ne saurais me contenter de moins.

L'idéal, je suis obligée de le constater, serait d'arriver à pousser votre Blazes à porter le coup fatal. Qui donc est le plus grand scélérat de la littérature ? Iago. Comme si l'on pouvait douter que, moralement, il soit responsable du meurtre de Desdémone. Cela dit, aucun tribunal ne pourrait le condamner. Aussi bien est-il l'artiste suprême, celui qui, invisible, sait manipuler les situations et, sans jamais descendre dans l'arène de l'acte physique, inexorablement pousse tous les autres personnages à la conclusion fatale qu'il a en tête.

Croyez-vous qu'il y ait quoi que ce soit qui puisse pousser votre Blazes à des violences dont il ne serait plus le maître ? Vous êtes son ami intime – s'il est quelqu'un qui connaît ses peurs, ses passions les plus secrètes et les recoins les plus sombres de son âme, c'est bien vous. Ne le connaissant pas, je ne saurais que spéculer là-dessus, mais il me vient quand même à l'idée que beaucoup d'hommes sont fort irrationnellement chatouilleux sur tout ce qui touche à leur virilité.

Imaginons donc que vous rapportiez à votre épouse certaine conversation que vous auriez eue avec votre Blazes, conversation au cours de laquelle, toujours d'après vous, celui-ci vous aurait avoué avoir une liaison avec une dame. Naïvement, vous vous demandez qui peut bien être cette dame et pourquoi votre ami se refuse aussi obstinément à vous en révéler le nom. Je ne doute pas que votre épouse trouve cela fort amusant. Quelques jours plus tard, vous lui rapportez alors une autre conversation au cours de laquelle votre ami vous aurait cette fois, toujours d'après vous, laissé entendre que sa maîtresse ne serait ni aussi jeune ni aussi séduisante qu'il l'espérait et qu'il ne continue à la voir que parce qu'il n'a rien trouvé de mieux pour l'instant. Je ne doute pas que votre épouse soit beaucoup moins ravie de l'apprendre.

Et le jour où Blazes devient impuissant… inutile de me demander, je crois, pourquoi cela doit lui arriver : vous avez fait des études de pharmacologie et buvez assez de cocktails avec Blazes pour vous assurer qu'une dose suffisante de bromure atterrisse régulièrement dans son verre.

Et le jour où on devient impuissant, votre épouse attribue la chose à un affadissement du désir qui la porte vers elle : au ressentiment que lui fait éprouver la frustration de ses appétits s'ajoute alors la fureur de son orgueil blessé. La première fois, et peut-être même la seconde et la troisième, elle se montrera sans doute compréhensive et prendra la chose avec bonne humeur – même déraisonnable au possible, aucune femme ne saurait faire moins. Mais, à moins que le tableau que vous m'avez brossé de votre épouse ne soit mensonger, ce ne sont pas là des qualités qu'elle a en abondance. Encore une fois à moins que je ne m'abuse, il viendra forcément un moment où elle lui reprochera ses déperditions d'ardeurs masculines de la manière la plus amère et blessante qui soit. On dit que, dans ce genre de situations, beaucoup d'hommes se sont laissés aller au meurtre.

Cela étant, il y en a certainement aussi beaucoup d'autres qui, devant de semblables provocations, ont su se réfréner. Il n'est pas impossible que, tout américain qu'il soit, votre Blazes ne s'autorise pas aussi facilement le recours à la violence, que, de fait même, aucune provocation ne puisse à coup sûr le pousser à tuer votre femme. A vous de voir. Dites-moi que tel est bien le cas et je renonce aussitôt à ma rêverie et me mets en devoir de vous concocter une solution plus réaliste.

Bien. Première mesure à prendre, c'est clair, convaincre votre épouse du profond désir qu'elle a d'assister au Festival d'Édimbourg. Vous ne devriez pas avoir beaucoup de mal à y arriver : votre femme me paraît compter au nombre de celles qui se croient, ou aimeraient bien qu'on les croit, ferventes admiratrices des choses de l'art. Et vous êtes, vous, j'en suis bien sûre aussi, un grand spécialiste de la stratégie matrimoniale. Vous n'aurez donc aucune difficulté à lui faire penser que c'est elle qui a eu l'idée de ce projet et qu'en l'acceptant, vous n'avez, vous, jamais manifesté que l'indulgence nécessaire à la survie d'un mari dévoué et sans ressources propres.

Ayant ainsi mis tout son cœur dans cette expédition,

votre épouse voudra tout naturellement se faire accompagner par son mari et son amant – comptez sur elle, vous le pouvez, pour persuader Blazes de se joindre à vous. Il n'est pas impossible que, trouvant gênant de n'avoir choisi que lui, elle étende son invitation à plusieurs de vos anciens amis. Si tel était le cas, il ne faudrait sous aucun prétexte dissuader ces derniers d'accepter l'offre que leur fait votre femme. Il serait même assez bon d'ainsi vous constituer un groupe d'une demi-douzaine d'accompagnateurs.

Une pareille expédition ne saurait évidemment se décider sur un coup de tête. Je supposerai donc que ce projet a reçu l'accord de tous au moins cinq ou six mois à l'avance, ce qui devrait vous laisser plus de temps qu'il n'en faut pour mettre en place d'autres dispositions indispensables.

La première d'entre elles sera d'acquérir un magnétophone, le plus petit possible, mais suffisamment moderne pour se déclencher à la voix. C'est avec cet instrument que vous enregistrerez le hurlement de votre épouse.

La cause dudit hurlement ? Je ne me permettrai pas de vous conseiller sur ce point – vous êtes depuis assez longtemps son mari pour savoir si la souris dans la chambre à coucher, le cafard dans la cuisine ou la chenille dans la salade est le moyen le plus sûr d'arriver au résultat souhaité. Cela dit, évitez quand même tout ce qui pourrait s'apparenter au danger ou à la douleur physique : je veux que votre épouse reste toujours heureuse et sereine et que rien de ce qui se passe autour d'elle ne la trouble le moins du monde.

Trois ou quatre mois avant le Festival, vous trouvez un

prétexte pour aller faire un voyage d'affaires en Europe. L'air du martyre qui fait contre mauvaise fortune bon cœur, vous souffrez de devoir ainsi vous rendre à Édimbourg et en profitez pour régler les questions d'hôtel et de réservations de spectacles.

Je puis vous assurer qu'Édimbourg vous inspirera. Promenez-vous autour de *Gallowgate*[1], allez du château à Holyrood Palace et vous ne pourrez pas ne pas songer aux grandes figures du passé qui, bien des siècles avant vous, empruntèrent le même chemin.

Vous penserez ainsi à ce Deacon Brodie, qui, respectable bourgeois pendant la journée, se muait en criminel dès la nuit tombée et donna l'idée du Dr Jekyll à Stevenson. Il y encore une allée qui porte son nom, notre ville gardant jalousement son souvenir.

Vous vous rappellerez aussi que là chassèrent Burke et Hare et songerez à leur trésorier, le Dr Knox. Ou alors… seriez-vous de ceux qui croient que notre anatomiste distingué ne s'intéressait guère à la soudaine embellie qu'un jour on constata dans l'approvisionnement en cadavres jeunes et sains de ses tables de dissection ? Je reconnais que jamais on ne l'accusa de complicité de meurtre. (Les Écossais ont toujours eu beaucoup de respect pour les sciences médicales.)

Mais surtout, vous songerez au jeune Lord Darnley, qui, époux de Mary, reine d'Écosse, dîna un soir avec elle à Holyrood et, affectueux et charmant, ne cessa de lui faire des compliments alors qu'il savait parfaitement

1. Soit la porte du Gibet *(NdT)*.

qu'armés de dagues, ses amis conspirateurs allaient s'engouffrer dans la pièce d'un instant à l'autre... et lui assassiner son secrétaire, Rizzio, sous ses yeux mêmes. Des occasions de tuer ce Rizzio, Lord Darnley en avait déjà eu, et qui lui auraient épargné bien des ennuis, mais non : il entendait que l'assassinat se déroule en présence de sa jeune épouse, laquelle était enceinte de six mois, et que les circonstances mêmes du meurtre soient les plus propres à la frapper de terreur.

Commencez-vous donc à comprendre ce que je voulais vous dire lorsque je vous parlais de la saveur particulière qu'a le meurtre en Écosse ? Avec de tels exemples, le courage et la détermination ne sauraient vous manquer. Cela étant, je ne puis vous permettre de passer tout votre temps à vous baguenauder à droite et à gauche – il y a du travail à faire.

D'abord, trouver un hôtel qui convienne ; et cela ne signifie pas seulement que celui-ci devra satisfaire les exigences de confort – assurément insensées – de votre femme, quoique, naturellement, il soit essentiel de répondre à toutes ses attentes sur ce point. Il est aussi d'une importance cruciale que votre hôtel comporte deux chambres adjacentes, lesquelles formeront évidemment une suite avec accès privé de l'une à l'autre. Une terrasse ou un balcon commun serait agréable, mais s'il n'y en avait pas de disponible, une porte de communication suffirait. L'idéal serait que nos chambres aient vue sur le château, mais inutile d'insister si, là encore, la chose s'avérait impossible.

Vous réservez vos deux chambres pour vous et votre

femme, et une troisième pour Blazes, à un étage différent. Ne pas oublier de préciser à la direction de l'établissement que, le dernier soir du Festival, vous avez l'intention de donner un dîner fin pour une demi-douzaine d'invités et qu'à cet effet vous aimeriez réserver une des chambres qui se trouvent à votre étage à vous.

L'impression que l'on devra garder de vous ? Celle d'un homme qui, très fortuné, fait tout ce qu'il faut pour offrir un somptueux cadeau à son épouse, qu'il aime quasiment à la folie. Je suis sûre que c'est là un rôle que vous savez jouer à merveille. Laissez clairement entendre que si l'on respecte toutes vos instructions à la lettre, vous saurez vous montrer plus que généreux, mais qu'à ne pas s'y conformer dans le détail, on risquerait d'encourir votre plus extrême déplaisir.

Rendez-vous ensuite dans un des magasins de Prince Street où l'on se spécialise dans la confection de costumes écossais traditionnels et commandez-vous deux tenues de soirée – avec kilt, châle en plaid et accessoires adéquats –, le tout devant être prêt pour l'ouverture du Festival. Le premier sera pour vous, le second pour Blazes – je tiens pour acquis que vous n'ignorez rien de ses mesures. J'espère aussi que vous n'allez pas faire la mauvaise tête là-dessus : le kilt est un vêtement magnifique et je ne doute pas qu'il vous avantage. Ce n'est pourtant pas pour des raisons uniquement esthétiques que je désire vous faire porter cette tenue le dernier soir de votre séjour : c'est aussi parce que, parmi les accessoires qui la complètent, il se trouve une dague, connue sous le nom de *skene-dhu*.

Prenez soin de vous montrer intraitable sur l'authenticité de l'ensemble de vos habits de manière à ce qu'on ne trouve rien de particulièrement sinistre au fait que vous teniez tellement à avoir des dagues absolument conformes à la tradition. Pour ce qui est du tartan, à vous de voir. Je ne doute pas que vous vouliez honorer la mémoire de vos ancêtres écossais (si vous en avez), mais, cela dit, assurez-vous bien que, pour l'essentiel, votre vêtement soit assez sombre – surtout pas de blanc ici ou là.

Je voudrais enfin que vous vous fassiez quelques amis que vous pourrez inviter à votre petit dîner. Que tous ils aient de la surface et que leurs paroles aient du poids ; mais qu'ils soient aussi d'un aimable rapport et pas du genre à filer alors que le vin et le whisky coulent encore à flots – et à vos frais. Venez ici muni de lettres de recommandation pour un ou deux de mes amis du barreau écossais et je suis certaine que vous rencontrerez tous les gens qu'il vous faut.

Reste-t-il autre chose à faire avant de repartir ? Hé bien… réserver, évidemment, toutes les places de concerts, théâtre et opéras auxquels votre épouse meurt d'envie d'assister – car elle en meurt d'envie et je ne voudrais pas que vous la déceviez sur ce point. Il est bon que dans vos choix ses préférences soient des ordres. J'espère bien qu'en dehors de vos dernières festivités, vous saurez la guider vers des choses d'une bonne qualité artistique. Que diriez-vous de l'*Othello* de Verdi ?

A part ça, non, je ne vois rien d'autre. Vous pouvez maintenant rentrer chez vous en vous disant que vous avez bien fait votre travail, et consacrer votre été à des plaisirs innocents.

Mais, septembre arrivant, vous vous retrouvez à Édimbourg avec votre femme, Blazes et, disons, quelques vieux amis en plus. Tout tourne autour de la création, on déborde d'enthousiasme. Vous restez calme et modeste au milieu de ce déferlement d'écrivains, de metteurs en scène et de compositeurs qui font beaucoup de bruit et passent leur temps à commérer : c'est qu'au plus profond de vous-même, vous espérez bien qu'aucune de leurs œuvres ne sera aussi originale et audacieuse que la vôtre.

Au début, bien sûr, nos deux chambres adjacentes seront occupées par vous et votre femme. Je pense néanmoins qu'il ne faudra pas attendre longtemps avant que votre épouse et son amant ne trouvent un prétexte pour vous demander d'échanger votre chambre contre celle de Blazes. D'un naturel agréable, vous accéderez à leur désir.

Blazes sera peut-être surpris de découvrir qu'au nombre des gentillesses que vous lui avez préparées, il y a un costume de soirée dans le plus pur style écossais. Quoi qu'il en pense, il ne saurait pourtant être assez mufle pour refuser de le porter au moins un soir. Et si, pour une raison ou pour une autre, il ne voulait pas le porter une deuxième fois, ne vous inquiétez pas : cela n'aurait pas grande importance. Les témoins sur lesquels vous comptez n'auront pas oublié qu'en tout, il n'y avait que deux dagues en circulation – la sienne et la vôtre.

Et le dernier jour – celui du dîner fin –, vous lui volez la sienne dans sa chambre. Au cas où il déciderait alors de porter sa tenue écossaise, il ne pourra pas ne pas constater que son poignard a disparu... mais, c'est clair, ne pourra pas non plus courir le risque de vous mettre en retard pour votre soirée d'opéra en se lançant dans une fouille en règle de sa chambre d'hôtel.

De votre côté, vous avez enfilé votre kilt et exhibez fièrement votre dague à qui veut la voir. La deuxième – celle que vous aurez volée à votre ami –, vous l'aurez adroitement dissimulée sur votre personne.

Votre femme, je n'en doute pas, aura, elle, fait tout ce qu'il fallait pour se montrer à la hauteur de l'occasion. J'espère – et en suis même presque sûre – qu'elle aura décidé de se payer une robe neuve, genre velours richement coloré, le tout étant ainsi taillé qu'elle ressemblera, un peu, à Marie, reine d'Écosse. Tenez, au fond, je suis certaine qu'elle l'aura fait. Et vous, mon cher Tim, vous aurez trouvé bon de lui offrir les bijoux qu'il convient de porter quand on est habillée de la sorte, disons : une rivière de rubis. Oui, des rubis seraient admirables. Je comprends bien que ce sera son argent à elle qui aura servi à les payer, mais, tout comme moi, elle ne pourra pas ne pas songer que c'est l'intention qui compte.

Bref, à votre dîner fin, elle sera superbe : ses yeux brilleront encore de tout le plaisir qu'elle aura pris à l'opéra, ses couleurs seront plus vives de tout le champagne qu'elle aura bu et, sur son sein d'un blanc de neige, ses bijoux rougeoieront à la lumière des chandelles. Objet d'admiration et de désir, elle concentrera tous les regards sur elle. Votre soirée étant, pour elle, un véritable triomphe, elle ne voudra certainement pas s'y attarder lorsque, le temps passant, les hommes commenceront à boire. Tout se jouant sur le fait qu'elle se retirera *avant* le départ de vos invités, il ne faut surtout pas qu'il en aille autrement.

– Messieurs, dira-t-elle, je vous prie de m'excuser… je suis un peu fatiguée et demain nous avons un grand voyage à faire.

Elle accorde un dernier sourire à Blazes – subtil, ce sourire, et sans la moindre gêne : on entend montrer à son amant que, fatiguée, on ne l'est pas le moins du monde – et s'en va.

Blazes ne peut évidemment pas lui emboîter le pas dans l'instant – à vous lire, ce monsieur aurait quelque éducation. Vous en profitez pour remplir à nouveau tous les verres, vos invités ne devant surtout pas penser qu'ils s'attardent un peu trop dans les lieux. Puis vous leur annoncez que vous avez oublié de régler un détail de vos préparatifs et vous excusez pour quelques minutes.

Vous frappez à la porte de la chambre de votre épouse. Elle vous fait entrer – pourquoi s'y refuserait-elle ? Si jamais elle renâclait, vous avez toujours votre clé. Vous lui dites que vous êtes venu lui souhaiter bonne nuit. Vous jetez votre veste en plaid sur une chaise – ne pas oublier de le faire : ce geste est de la plus grande importance –, et vous serrez votre épouse dans vos bras. Bien que ce soit la dernière fois, ne succombez pas à la tentation de l'enlacer trop longtemps. Pendant que vos lèvres sont encore collées aux siennes, vous sortez la dague que vous avez volée à Blazes – surtout pas de confusion : vous devez absolument vous servir de celle qui est couverte de ses empreintes – et... Ça y est, l'affaire est faite.

Vous déposez son cadavre sur le lit. Débrouillez-vous pour qu'on ne voie pas la plaie tout de suite. Faites en sorte qu'à la faible lumière de la lampe de chevet votre femme ait l'air de simplement dormir. Et, sinon de dormir, d'avoir au moins les yeux clos et de paraître attendre, tout alanguie de désir, l'arrivée de son amant. Vous dissimulez le magnétophone dans les plis de sa robe et laissez tomber la dague par terre, à côté de son lit.

Et vous enclenchez le magnéto de manière à ce qu'il...

Non... non, d'abord, vous ôtez le sang de vos mains. Il n'est pas question de trouver vos empreintes pleines de sang partout sur les murs. Ce sang, je dois le reconnaître, m'inquiète un peu... saurez-vous bien éviter d'en avoir sur vos manchettes ? Dans ce cas, il faudrait prendre le risque de les laver copieusement. Quoi que vous fassiez, surtout de l'eau froide – l'eau chaude rend les taches de sang indélébiles. Et faites vite : vos invités risqueraient de se sentir gênés par une absence qui se prolongerait.

On s'assure qu'en plus de ne pas être fermée à clé, la porte de communication est légèrement entrouverte, et on se débrouille pour que le hurlement de votre épouse soit très clairement audible... disons trente secondes après que quelqu'un aura poussé la porte. Ayant, évidemment, déjà vérifié que la manœuvre est faisable, cela ne vous pose aucun problème. Mais vous n'oubliez pas que la rapidité d'exécution est essentielle. Vous ne l'oubliez pas, n'est-ce pas ?

Vous vous examinez soigneusement dans la glace. Vous remettez votre veste et vous arrangez pour qu'aucune tache de sang ne soit visible sur vous. Êtes-vous bien certain que vous avez les mains propres ? Bien, très bien : vous pouvez aller retrouver vos invités.

Il est possible que les instants qui suivent soient un rien pénibles pour vos nerfs. Il se peut même que vous trouviez que commettre un meurtre ne s'apparente guère à la rédaction d'un roman ou à l'achèvement d'un tableau. Si, hélas, vous vous êtes trompé, vous ne pouvez pas revoir la copie ou la toile, ni même seulement tout déchirer pour recommencer à zéro. Découvrez alors que votre vraie vocation était ailleurs et ce sera tant pis : vous ne pourrez plus décider que, tout bien considéré, assassin, vous ne l'étiez pas.

Mais ce n'est pas le moment de laisser vos angoisses prendre le dessus. Plus que jamais vous devez vous montrer généreux et attentif aux désirs de vos invités – il ne serait vraiment pas bon que, sentant qu'ils vous fatiguent, ils s'imaginent soudain de partir avant la fin.

Qui plus est, il vous faut maintenant trouver le moyen d'attirer leur attention sur la dague que vous portez – j'exige que personne n'oublie qu'à ce moment-là de la soirée, vous l'aviez toujours sur vous. Aiguiller la conversation sur l'artisanat local ?

Combien de temps Blazes se croira-t-il obligé de rester en votre compagnie ? Pas très longtemps, c'est clair.

Alors que votre épouse était si belle et lui souriait comme elle le faisait, il est évident qu'il ne la fera pas attendre des éternités.

C'est dès le départ de votre ami que le moment fatidique est imminent. Blazes gagnera d'abord sa chambre – il est en effet trop discret pour pénétrer dans celle de votre épouse en passant par le couloir. Il n'est pas impossible qu'il consacre quelques instants à rectifier sa tenue. Enfin, il se dirige vers la porte de communication et, la trouvant entrouverte, il entre. S'approche du lit de votre épouse et tend la main en avant pour réveiller son aimée. Et ne comprend vraiment rien à cette tache humide et chaude qu'elle a sur la poitrine.

Alors retentit le hurlement déchirant.

Vous l'entendez au salon et vous levez d'un bond, l'air paniqué.

– Mon Dieu, mais c'est ma femme ! hurlez-vous à votre tour. Que se passe-t-il ?

Vous vous précipitez hors de la pièce, vos compagnons se ruant sur vos talons – la curiosité et l'esprit d'amitié obligent. Vous secouez la poignée de la porte, vous appelez frénétiquement votre épouse par son prénom. Mais un instant seulement : vous avez déjà la clé dans la main. Vous poussez la porte un grand coup et allumez le plafonnier.

Blazes est devant vous, il semble toujours aussi hébété… et a les mains pleines de sang. Il n'est pas impossible que, le trouble aidant, il se soit même emparé de la dague et la tienne encore entre ses doigts. Aucune importance s'il en allait différemment – parce que, alors, son arme se trouverait toujours à l'endroit même où il semblerait bien l'avoir laissé tomber un instant auparavant. Dans la fenêtre qui est derrière lui – non, désolée, mon cher Tim, c'est peut-être difficile, mais je ne supporterais pas que vous ne fassiez pas tout ce qu'il faut pour ça –, dans la fenêtre donc, se découpe, bien illuminée, la silhouette du château d'Édimbourg.

– Blazes ! vous écriez-vous. Blazes ! Qu'as-tu fait ?

Vous traversez la chambre en courant et serrez le corps de votre épouse entre vos bras, en murmurant son prénom et sanglotant tout à la fois. C'est le moment ou jamais de récupérer le magnétophone et la télécommande qui l'actionne. Ne pas oublier que ce contact avec le cadavre de votre femme vous permettra en plus d'expliquer les taches de sang dont on pourrait par la suite remarquer la présence sur vos habits.

L'œil horrifié, vos amis continuent de dévisager Blazes.

Et voilà, le tour est joué. J'espère, sans me vanter, avoir réussi à vous fournir ce moment suprême que je vous avais promis. J'ignore si vous le trouverez aussi satisfaisant que celui auquel vous vous attendiez et… qui sait même si vous ne comprendrez pas alors que la seule personne dont les applaudissements auraient pu vous agréer vraiment n'est plus maintenant en mesure d'apprécier votre prestation.

Mais ça, je m'en moque – comme tout professionnel qui se respecte, je ne saurais vous prodiguer mes conseils et, dans le même temps, m'inquiéter des conséquences qui pourraient en découler.

Réponse de Lawrence Block

Vous trouvez ça marrant, c'est ça ?

Parce que moi, c'est justement ça qui me les brise, dans ce triste projet. Vous trouvez marrant de jacasser comme un faiblard et de me balancer vos conneries sur l'assassinat considéré comme un des beaux-arts. Le meurtre, ça n'est jamais artistique. Quant au côté formel... rare. L'assassinat, ça n'est jamais que le moyen d'arriver à un résultat. Même que, plutôt deux fois qu'une, c'est un moyen aussi nul que le but recherché. Qu'un moyen, disons, aussi peu distrayant que sa finalité dernière.

La vie, on le dit, est comédie pour ceux qui pensent, et tragédie pour ceux qui sentent. Or il s'avère, monsieur, que vous n'appartenez à aucune de ces deux catégories d'individus. Vous semblez vouloir, d'un côté, qu'on applaudisse les efforts que vous déployez pour être un artiste de l'homicide, mais, de l'autre, désirez surtout que personne ne vous retrouve. Votre crime serait-il parfait – savoir que votre épouse périrait et que ce serait votre ami Blazes qui serait accusé de sa mort – que, quelles que soient les *artisteries* dont vous pourriez vous vanter, toutes, elles passeraient à l'as, et pour toujours. Ce serait comme de donner à bouffer à votre broyeuse de bouts de bois non point un cadavre humain, mais l'arbre du bon Berkeley – vous savez ? celui qui tombe sans qu'on l'entende ? celui qui ne fait aucun bruit ?

Je dirai donc, Monsieur, que vous ne souhaitez nullement tuer du monde et que vous n'avez même pas le plus petit désir de faire du mal à votre femme ou à votre ami. Il est on ne peut plus clair que vous n'êtes pas un homme d'action, que, de fait, la seule décision que vous ayez jamais réussi à prendre fut d'épouser une femme fortunée et de vivre à ses crochets pendant des années. (Et d'ailleurs, où fut votre décision à vous, là-dedans ? Moi, je ne vois pas. Va savoir pourquoi, j'ai plutôt dans l'idée que ce fut votre femme qui, là encore, arrêta la décision : vous étiez, elle le voyait bien, elle, tout aussi inoffensif qu'inefficace, l'idéal même du mari-joujou, le parfait Ken à sa Barbie. Qu'on ne vienne pas me dire qu'elle se trompait.)

Bref, vous ne la tuerez pas. Au fond, la situation actuelle est idéale pour tout le monde, et vous n'en êtes pas le moindre bénéficiaire. Vous avez une épouse riche, une vie de loisirs, et votre ami Blazes est assez correct pour vous débarrasser de la corvée qui consiste à satisfaire les appétits charnels de votre bonne femme. Moi, je dirais que ce monsieur est presque trop beau pour être vrai. Passe-t-il donc vraiment un jour sur deux à faire la fête avec madame ? A ce rythme-là, je ne connais pas d'idylle qui tienne plus de quinze jours. Qui sait si, lorsque vous recevrez cette lettre, l'attrait de cette liaison s'étant dissipé, tout le problème que vous avez aujourd'hui sur les bras ne sera pas déjà de l'histoire ancienne ?

Supposons néanmoins que Keats eût vraiment pu écrire de nos deux oiseaux qu'il l'aimerait toujours et qu'elle serait toujours belle. (Ou salope, comme vous semblez vouloir absolument le dire.) Et alors ? Je n'arrive pas à croire que cela vous chagrine. Ce n'est quand même pas qu'on vous arracherait ce que vous chérissez, non ? Le seul dommage appréciable est celui qu'elle inflige à votre orgueil et vous, vous en faites tout un plat en vous branlant la tête avec l'idée que vous allez zigouiller votre épouse et faire pendre son amant ? Loin de vous préparer à l'action, tous vos petits plans et calculs divers ne sont que moyens d'y échapper.

Vous sentiriez-vous obligé d'agir que vous l'auriez déjà fait depuis longtemps.

Un infirme de la volonté, que vous êtes ! Pourquoi me faites-vous perdre mon temps comme ça ?

Mais bon, si vous désiriez vraiment agir, il ne serait pas très difficile de trouver quelque chose.

Allez. Voici ce que je vous recommanderais.

Et d'un, on se démerde pour entrer dans la chambre de l'auberge un lundi, mercredi ou vendredi, aux environs de six heures trente-cinq : quelques minutes après que votre femme et son amant l'ont quittée. On tient à la main un petit sachet en plastique et une pince à épiler et, avec celle-ci, on remplit celui-là d'autant de poils et cheveux que le lit pourra en receler.

Le but visé ? Se fournir en poils cachés dans les recoins

les plus secrets de l'anatomie de Blazes. Si les poils en question sont très clairement différents de ceux de votre épouse, ne prendre que ceux-là d'entrée de jeu. Dans le cas contraire, tout embarquer et faire le tri à tête reposée – en se servant d'un microscope au besoin. Inutile de vous attarder dans la chambre : en plus d'être insupportablement pervers, traîner dans les lieux mêmes où les tourtereaux mollement ont couché pourrait vous faire remarquer.

L'affaire ne devrait pas être tellement difficile à mener à son terme. Je suppose que nos deux amants ont l'habitude de prendre une douche après leurs ébats, histoire d'en celer les preuves matérielles. Vu qu'ils n'ont guère qu'une heure à passer ensemble, il est peu vraisemblable qu'ils en gaspillent encore un bout en se douchant aussi avant. Il est donc plus que probable qu'ils aient des tas de poils et de cheveux à laisser choir ici et là dans la chambre, que vous pourrez, vous, les séparer en deux tas distincts – et garder ceux de Blazes pour un usage ultérieur. (Je suppose aussi, c'est évident, que votre auberge n'étant pas le genre d'hôtel de passe où on ne change les draps qu'une fois par semaine, on ne va pas se retrouver à moissonner les restes mélangés d'une bonne douzaine de rencontres des plus brûlantes. Si tel était le cas, ne vous donnez même pas la peine d'assassiner votre femme et de faire porter le chapeau à votre ami. Laissez-les tranquilles – la crasse aura raison de tout.)

Mais il suffit. Vous étant ainsi procuré des poils de Blazes, vous êtes prêt à passer à l'étape suivante. (Ce qui signifie que, dans le cas contraire – savoir celui où vous auriez échoué dans votre collecte –, vous pouvez laisser tomber tout ce bazar insensé sans dommage.) Mais non : vous avez réussi, me dites-vous. Vous avez récolté du poil et du cheveu sans vous faire prendre. Soit. L'heure est venue d'aller vous chercher une nénette.

Une femme, vaudrait-il mieux dire, peut-être. Cela étant, parler sexiste me semble un péché bien mineur comparé à ce qui se prépare. Une quinzaine de jours après que vous avez ainsi fait provision de poils de Blazes, vous vous trouvez donc une femme qui, âge et type physique, ne soit pas tout l'opposé de votre épouse. Inutile que nos dames soient exactement semblables, mais elles devraient au moins avoir la même couleur de cheveux et des tailles voisines. Si votre épouse est blonde, grassouillette et âgée de quarante ans, ne me ramenez pas une ado genre manche à balai super bronzé.

Débrouillez-vous pour vous retrouver avec elle dans un lieu assez intime un lundi, mercredi ou vendredi, entre cinq heures trente et six heures trente. Hôtel ou autre, peu importe – du moment que votre chambre ne se trouve pas dans l'auberge où votre femme et son amant s'en paient régulièrement une tranche. Disons chez la dame. Ou ailleurs.

Il serait bon d'arriver à programmer tout ça pour l'après-midi du jour qui précède la pleine lune. Ce n'est pas essentiel, mais ce serait bien.

Qui devrait être cette femme ? Cela est moins important que de préciser qui elle ne doit surtout pas être – savoir, et absolument, bien sûr, une femme à laquelle on pourrait de quelque façon que ce soit vous relier. Jouons commode et disons une prostituée, à condition que vous n'ayez jamais eu recours à ses services dans le passé.

Oui, au fond, procédons comme ça. Un peu plus tôt ce jour-là, vous prenez une chambre de motel. Vous réglez en liquide et signez le registre sous un nom d'emprunt qui ressemble à celui dont Blazes se sert à son auberge. (Je pose ici qu'il utilise effectivement un pseudonyme, pour des raisons de sécurité, et qu'il n'en change pas à chaque coup, ce qui a toutes les chances d'être le cas.) Et donc, ce pseudonyme, d'une manière ou d'une autre, vous l'avez découvert et prenez un nom qui n'en soit pas trop éloigné. Il s'est fixé sur Roger D. Cole ? Vous vous faites passer pour Robert D. Collins. Ou vous utilisez un autre nom, mais inscrivez la même adresse bidon et autres faux numéros de permis de conduire dans le registre.

La chose une fois faite, vous vous arrangez pour qu'une *masseuse** extérieure à l'établissement frappe à votre porte sur le coup de cinq heures trente. Certaines de ces dames sont fort bien décrites dans les petites annonces et les agences spécialisées en ont de tous les modèles. Je suis sûr que vous n'aurez aucun mal à trouver la femme qu'il vous faut.

Prenez une douche avant qu'elle ne débarque. Il ne serait pas astucieux de laisser traîner ses bouclettes et menus poils dans des endroits compromettants. Dès qu'elle arrive, vous lui demandez d'ôter ses habits et l'imitez. Si ça vous tente, baisez avec elle. Mais attention : pas d'imprudences. Dieux du ciel, ce n'est pas le moment qu'elle vous refile des trucs. Ou que vous, vous laissiez dégringoler des choses dans tous les coins.

Après, on zigouille la pétasse.

Ben quoi ? Qu'est-ce que vous espériez ? Que j'allais juste vous demander de tirer un coup et de vous casser ensuite ? Bien sûr que oui, qu'il va falloir la buter, cette femme. C'est pour ça qu'elle est là. Même que c'est la première de la série – et non, ça, pas du tout la dernière. Et donc, tous les moyens sont bons, on est prompt et on fait du bon boulot.

Je vous laisse le choix de la méthode. Je ne vous en dirai qu'une chose : travaillez vite et sans bruit. Moins par désir d'abréger les souffrances de madame – comme si vous, ou moi d'ailleurs, en aviez à foutre – que pour éviter de se faire remarquer. La strangulation n'est pas mauvaise – à l'aide, peut-être, d'un garrot fabrication maison que vous auriez apporté dans ce dessein ? Si c'est ça que vous choisissez, laissez l'outil sur place.

Mais remportez votre couteau si vous décidiez de la poignarder.

Je vous suggère de la prendre par surprise. Vous n'avez aucune envie de l'entendre beugler, et encore moins qu'elle vous laboure la figure avec ses ongles.

Une fois qu'elle sera morte ainsi qu'il sied, le peu que je connais de vous me dit qu'il y aura probablement deux choses que vous vous sentirez tenu de faire. Ni l'une ni l'autre ne seraient nécessaires si vous n'étiez pas une loque pareille, mais vous l'êtes, et donc, veillez au moins à vous en acquitter dans l'ordre qui convient. D'abord, on vomit, et ce n'est qu'*après* qu'on avale son Valium.

Et qu'*après* encore qu'on commence à mutiler le corps, il le faut.

Désolé. Je sais que ça vous dégoûte, mais il n'y a pas moyen de procéder autrement. C'est spectaculaire et fera tout autant fantasmer le bas personnel policier que la presse et le grand public. Rien de mieux pour attirer l'attention qu'un bon travail d'équarrissage. Vous m'avez bien parlé de Jack l'Éventreur, n'est-ce pas ? Que je vous rappelle une chose là-dessus : c'est l'éventrage qui a fait sa réputation, pas du tout le côté homicides en série de son labeur.

Comment mutiler au mieux ? Je ne vous en dirai que ceci : la méthode de la décapitation est toujours sans rivale. Un corps sans tête – et une tête sans corps aussi, d'ailleurs – vous a un de ces je ne sais quoi qui invariablement vous emballe le cerveau et, rien à faire, plus jamais ne vous lâche. Et donc, après avoir tranché la tête, on en fait quelque chose d'intéressant. On la pique sur un des montants du lit. On la pose sur une coiffeuse comme s'il s'agissait d'une tête à perruques. On l'accroche au fil de l'interrupteur[1].

Après avoir tranché la tête... Voilà qui semble facile. Vous verrez que c'est loin de l'être. Il vous faudra apporter un outil, probablement une scie, et de taille. Si ça vous pose problème, vous pouvez aussi décider de renoncer à la décapitation et de vous en tenir à des mutilations à la coupeuse à boulons, disons, ou alors au sécateur, ou au couteau à pamplemousse.

1. Aux États-Unis, les plafonniers sont souvent actionnés par un interrupteur à ficelle *(NdT)*.

Comme vous le voyez, vous avez le choix. Je ne vous demanderai qu'une chose : que ce que vous faites soit bien horrible et que plus qu'un effet théâtral, on y voie une méthode. Trancher les mains est, par exemple, tout à fait acceptable. Les trancher et croiser sur le bas-ventre de la victime, ou les arranger de telle manière que dans chacune repose un sein serait un joli raffinement.

Vous voyez le tableau.

Encore un truc. Prenez un souvenir. Du genre ? me direz-vous. Du genre petit, à mon avis, mais surtout du genre à ne pas passer inaperçu. Un doigt. Une aréole. Ou une oreille – enfin quoi : quelque chose qu'on n'ait guère de chances de trouver au supermarché du coin. Déposer dans un sachet en plastique, trimbaler jusque chez soi, et mettre au congélateur.

Mais prendre, et prendre seulement, ne saurait suffire. Emportez ce que vous voulez, mais laissez aussi un petit quelque chose. Vous n'avez pas oublié les poils de Blazes, n'est-ce pas ? Vous les apportez avec vous, et en abandonnez quelques-uns en l'endroit. Vous en cachez un ou deux sur le mont de Vénus de la dame et en placez deux ou trois autres bien en évidence. Par pitié, ne pas s'en aller épuiser tout de go sa réserve. Vu qu'il n'est absolument pas dans vos intentions de retourner dans la chambre où, semaine après semaine, on vous a fait cocu – surtout pas maintenant que la machine s'est mise en route –, vous acceptez de vous rationner un peu.

Ah, Dieu ! Ce qui déjà pointe à l'horizon vous troublerait-il ? En écrivant ces lignes, je vous ai quasiment entendu reprendre votre souffle, et vu pâlir du haut jusqu'en bas du visage. Pourquoi donc ? J'avoue ne pas saisir. Il vous est sûrement déjà apparu que si vous avez tué cette femme, ce n'était pas pour que Blazes Boylan soit accusé de son meurtre, mais bien pour que se dégage un *modus operandi* général, lequel sera, en temps utile, la signature que l'on reconnaîtra en voyant le cadavre de votre femme. Mais hélas, une hirondelle, à elle seule, jamais ne fait le printemps – pas plus d'ailleurs qu'à elle seule, une macabre et gratuite boucherie jamais ne fait ledit *modus operandi*. Et donc, en poignardant ou étranglant, en sciant l'os et le cartilage, en choisissant l'orteil plutôt que le nez pour votre prélèvement rituel, toujours agissez en sachant bien que c'est cela que vous aurez à refaire.

Encore et encore. Et encore.

Mais d'abord, on ne bouge plus pendant un mois.

Et par là je veux dire qu'on n'agit pas directement. Qu'heureux ou malheureux, on se contente de passer son mois à vivre avec ce qu'on vient de faire. Au début, certes, la peur d'être découvert, oui : qu'on vous appréhende pour ce meurtre, vous rongera. Se faire prendre à ce moment-là est, je dois le dire, toujours possible. Enfant, j'ai grandi dans la croyance que jamais personne n'emportait ses forfaits au paradis. Depuis, force m'a été de reconnaître que c'était là un postulat bien mensonger. Il serait plus vrai d'avancer que tout le monde s'en tire sans encombre. Il n'empêche. De temps à autre, il arrive effectivement que l'assassin se fasse piquer et cet assassin, ce pourrait bien être vous. Qui sait si vous n'avez pas laissé traîner un indice ? Qui sait si quelqu'un ne vous a pas reconnu lorsque vous étiez en train de signer le registre du motel ? Qui sait même si, ici ou là, vous n'avez pas oublié une empreinte ? Qui sait surtout ce que vous risquez de faire lorsque le stress du premier meurtre vous saisira ?

Bah. S'ils vous coincent, surtout ne dites rien. Pas un mot, nom de Dieu, pas un. Et trouvez-vous un bon avocat.

Cela dit, il est probable que personne ne vous attrapera. Et que, peu à peu, la peur cédera la place au remords. Comment avez-vous pu faire un truc pareil ? Quel genre d'individu êtes-vous donc ? Comment pouvoir même seulement envisager de vivre avec soi-même après avoir commis un tel acte ?

Toutes ces réactions sont normales, et vous seriez moins homme de ne pas les éprouver. Qui sait même si les craindre par avance ne suffira pas à vous interdire ce meurtre initial ? D'après moi, ce serait une bonne chose. En étant ainsi capable de prévoir votre inaptitude à supporter de trop fortes chaleurs, peut-être aurez-vous la sagesse de vous tenir à l'écart de la fournaise où tout se joue.

Cela dit, supposons qu'ayant effectivement fait ce que vous avez fait, vous en soyez maintenant réduit à vivre avec vos remords. Pourquoi donc, vous demandez-vous, ai-je ainsi assassiné une innocente que je ne connaissais même pas ? Pourquoi n'ai-je pas tout de suite porté mes coups contre ma coupable de femme et ainsi commis un meurtre qui me coûterait et perturberait beaucoup moins aujourd'hui ?

Ne pas croire à ce genre de sornettes. Je ne saurais, certes, faire semblant d'éprouver une grande sympathie pour vous, mais je puis vous assurer que vos intérêts bien compris me tiennent à cœur. Voilà pourquoi je vous ai préparé une série de meurtres telle que non seulement votre Boylan jamais ne s'en sortira, mais que vous-même, vous en serez ainsi conditionné que l'acte le plus difficile qui soit, savoir, pour vous, assassiner votre épouse, vous viendra des plus aisément *après* – mais après seulement – que tous nos petits exercices préparatoires vous auront entièrement transformé.

Et surtout, ne pas s'abuser : zigouiller votre femme sera effectivement plus difficile qu'expédier de l'inconnue. Vous n'en êtes pas convaincu pour l'instant parce que vous avez un mobile et que, l'ayant, vous la haïssez et lui souhaitez les pires avanies. Mais… émotions que tout cela, et les émotions ne sont jamais simples. Il y a aussi, par exemple, que vous aimez votre femme. Comment pourrait-il en aller autrement ? Si votre amour avait cessé d'exister, vous ne la haïriez point. Vous vous moqueriez même bien de savoir qu'elle a une liaison avec Boylan et, non, ne voudriez point sa mort. Je pourrais même, et d'une manière plus que convaincante, vous démontrer, hé oui, mon ami, que dans votre petit psychodrame personnel, c'est vous qui aviez fait d'elle votre mère, et de Boylan votre père. Le gamin là-dedans, c'est vous, et, pauvre de vous, à la porte de la chambre de Papa et Maman vous attendez qu'ils aient fini de Faire des Trucs Pas Bien. Et voulez les punir de vous avoir laissé dehors. Toutes vos rodomontades sur l'assassinat considéré comme un des beaux-arts ne sauraient masquer le fait que vous n'êtes rien de plus qu'un petit garçon qui, toujours à la porte de la chambre mystérieuse, retient ses larmes et a le cœur tout brisé parce qu'il n'a pas le droit de monter dans le plumard avec Eux.

Désolé encore une fois, mais je ne suis pas psychothérapeute, pas vrai ? En plus de quoi, vous n'avez probablement aucune envie de vous entendre dire tout ça.

Assez de psychologie. Revenons à nos assassinats. A nos « beaux-arts », comme vous dites. A nos meurtres trompeurs, devrais-je préciser, mais bon : je m'en vais essayer de ne plus vous juger.

Un mois lunaire s'étant écoulé depuis votre premier forfait, l'heure est venue de passer au second. Je ne me donnerai pas la peine de vous suggérer un scénario, sauf à vous dire que si ce travail doit être semblable au premier sur certains points, il doit aussi s'en différencier sur d'autres. Une fois encore, la victime devra, superficiellement au moins, ressembler à votre femme. Encore une fois aussi, le boulot devra être fait entre cinq heures trente et six heures trente – moment pendant lequel (je le suppose) madame et son amant s'adonnent toujours au plaisir d'être ensemble. On aura donc recours à la même méthode et, pour la partie démembrement, se servira encore de l'outil avec lequel on fit jadis pâté de chien de la première demoiselle. On n'oublie aucune des blessures rituelles, on ne change pas la nature des souvenirs qu'on remporte chez soi et, une fois encore, on laisse quelques petits poils de Blazes aux endroits les plus dommageables pour son image de marque.

Tels sont les points de similitude absolue. Voici maintenant ceux où je tolérerais assez qu'on varie et, même, le souhaite : la victime choisie sera un peu plus jeune ou un peu plus vieille que la première, et semblablement un peu plus, ou moins, attirante qu'elle. La première était soldat de la prostitution ? Faites en sorte que la seconde soit une simple civile – ou vice versa. Je vous verrais bien, par exemple, arpenter quelque galerie marchande, ou supermarché, puis suivre vos proies potentielles jusque chez elles afin d'en trouver une qui sera immanquablement seule à la maison à l'heure où vous aurez décidé d'opérer. Ayez un gros bloc-notes sur vous lorsque vous lui rendrez visite – personne jamais n'éconduit un monsieur qui tient un gros bloc-notes à la main –, et faites votre sale besogne dans l'instant, là, au beau milieu du living.

Il se peut que ce deuxième assassinat soit plus difficile à commettre que le premier. C'est que, voyez-vous, le meurtre initial a toujours quelque chose d'irréel. Qu'au moment même où effectivement vous en passez par toutes les étapes nécessaires, que, jusqu'à celui où il n'est plus possible de revenir en arrière, oui, vous pouvez toujours vous dire que tout cela n'était que petit jeu, que tentative, pas bien méchante au fond, de passer à l'acte… et que, si jamais vous décidez de renoncer à la dernière minute, tout cela n'aura, justement, jamais été qu'une tentative avortée.

Mais là, une fois que le crime est accompli et que madame n° 1 dort avec ses ancêtres, aucune de ces histoires ne tient plus. Je suppose donc que vous avez fait la paix avec votre conscience (sinon, comment pourrait-il y avoir une deuxième victime ?), mais vous mets tout de suite en garde : à l'instant même où ainsi vous traquez votre victime et en êtes à vos derniers travaux d'approche, vous n'ignorez rien du destin qui l'attend, et savez en outre, et parfaitement, ce que le rôle déterminant que vous allez y jouer ne manquera pas de susciter en vous un peu plus tard. Vous saurez ainsi, ce n'est qu'un exemple, ce que c'est que de trancher une tête. Vous saurez l'impression que ça fait, et les cauchemars que ça vous colle après. Bref, à savoir tout cela et à savoir, en plus, que vous irez néanmoins jusqu'au bout parce que quoi ? vous l'avez déjà fait une fois, vous ne pourrez pas ne pas sentir tout ce que ce deuxième assassinat a de réalité qui glace – et ce, du début jusqu'à la fin.

Dans le même temps, bien sûr, ce sera aussi un peu plus facile. Et pour la même raison que plus haut – vous l'avez déjà fait une fois. Savoir que vous êtes réellement à la hauteur de l'horrible tâche vous soutiendra. Vous connaissez et, partant, vous sentez capable de recommencer.

Ou de renoncer – de la même manière exactement que vous auriez pu le faire la première fois –, et de mettre ainsi un terme à tout le bazar. Votre épouse et son amant continueront à goûter à leurs *cinq à sept** un rien abrégés, et vous vous résignerez à jamais au rôle de chiffe molle auquel vous êtes condamné depuis si longtemps.

Le mystère du seul et unique meurtre que vous ayez commis n'ayant aucune chance d'être jamais résolu, vous pouvez maintenant passer d'innombrables nuits blanches à vous en remémorer les moindres détails – et à vous dire que vous auriez pu aller plus loin, et même, tout à la fin, ajouter votre épouse à la liste des victimes. Il se peut que de le savoir vous réconforte. « J'aurais pu la tuer, vous dites-vous, mais ne suis-je pas meilleur et plus humain d'avoir choisi de n'en rien faire ? Oui, je le pense. Et pense aussi que je m'en vais, de ce pas, me boire encore un petit verre. »

Troisième meurtre donc, puis quatrième. Inutile d'en parler, sauf pour en dire que les mêmes similitudes devront s'y retrouver, et aussi les mêmes variations sur le thème, comme vous l'avez déjà fait lors de votre deuxième assassinat. Et, encore une fois, vos crimes auront lieu à un mois d'intervalle, tous se déroulant invariablement à la veille de la pleine lune, les jours de week-end exceptés. Si le calendrier lunaire vous obligeait à travailler un samedi, avancez la date de vingt-quatre heures. Si, au contraire, il vous poussait à dimanche, remettez au lundi.

Pourquoi quatre meurtres ? Hé bien mais… parce que nous voulons bien ancrer notre *modus operandi* dans les mœurs, susciter assez de hurlements et faire suffisamment couleur locale pour que partout on bascule un rien dans la folie lorsque, à la fin, on découvrira que l'heureux Blazes Boylan, hé oui, fait un joli suspect. Je pense aussi que quatre est un nombre idéal en ce que le fait de tailler ainsi en dés, et découper en rondelles, quatre femmes en quatre mois ne peut manquer de vous tremper notablement le caractère. Vous n'en sortirez peut-être pas aussi dur qu'une épée en acier de Damas, mais aurez déjà, je le pense, un certain tranchant. Bref, lorsque l'heure sera enfin venue de disposer de madame, vous ne pourrez que vous rire des difficultés. Plus rien ne vous glacera les sangs, l'examen de conscience aura cessé de vous paralyser. L'énormité de ce que vous avez fait ne sera plus à même de vous ralentir parce que, justement et encore une fois, tout cela, vous l'aurez déjà fait. Au fond, à condition que vous ayez réussi à aller jusque-là, la dernière étape sera un jeu d'enfant. C'est que, voyez-vous, tuer, pour le tueur, n'est rien et qu'alors, tueur, vous le serez devenu.

Il se peut même que tuer, vous commenciez à beaucoup aimer.

Au point que ça finisse par poser problème. Parfois, je vous vois déjà aguerri par vos quatre forfaits et mourant d'envie de passer au dernier acte, celui où votre épouse sans amour enfin se fait trucider. « Minute, minute, vous dites-vous. Peut-être ne suis-je pas tout à fait prêt. Ne vaudrait-il pas mieux quadrupler (quintupler serait plus exact) tous les systèmes de sécurité ? Si, bien sûr. Et donc, accrochons-nous une cinquième tête au ceinturon avant que de nous attaquer à la grande saucisse. »

Au cas où de telles pensées vous viendraient, sachez les reconnaître pour ce qu'elles sont. Ce ne serait pas plus assurer ses arrières que d'emprunter cette voie – de fait même vous augmenteriez sérieusement le risque d'être pris, vu qu'à partir de votre quatrième homicide, les spécialistes du profil psychologique et autres experts des meurtres en série du FBI auront déjà commencé à sérieusement loucher dans votre direction.

Non. En fait, tous ces petits raisonnements ne feraient que vous dire le désir que vous avez de mettre fin à votre existence de criminel. Il se peut d'ailleurs que vous en soyez alors arrivé au point où, pour vous, jouer est plus important que gagner, où ce n'est plus dans le fait de mener à bien votre plan mais dans celui de tuer une fois par mois que vous trouvez votre plaisir. Qui sait si, en d'autres termes, ce n'est pas d'assassiner en série qui, maintenant, confère un sens à votre vie ?

Au cas où cela se produirait – et, tout aussi improbable que cela vous paraisse aujourd'hui, je puis vous assurer qu'on est loin d'avoir quitté le domaine du possible en ces matières –, au cas où cela se produirait, disais-je donc, ne faiblissez surtout pas dans votre résolution et optez sans tarder pour l'une ou l'autre des deux lignes de conduite que je m'en vais vous donner : ou bien vous poursuivez jusqu'au bout, et de votre épouse faites votre cinquième et dernière victime, ou bien vous renoncez à toute idée d'exécuter votre femme et changez promptement de *modus operandi* afin de ne plus vous trouver au cœur même de l'attention que vous vous êtes donné tant de mal à aiguiller sur votre personne.

(Je ne vais pas vous détailler la manière de vous y prendre : je suis bien sûr que, si jamais il s'avérait que tuer était effectivement votre *métier**, vous saurez trouver la solution tout seul. Commencez par chasser le démembreur à répétition de ses terres d'élection en procédant aux assassinats numéros 6 et 7 dans une ville éloignée d'une bonne centaine de kilomètres, puis en allant tuer une huitième fois encore plus loin dans la même direction. A partir de ce moment-là, nature du crime, dates et heures d'exécution et type de victime assassinée, ne plus faire qu'au petit bonheur la chance. Veillez seulement à ne pas vous répéter et je ne vois pas pourquoi vous ne pourriez pas poursuivre ainsi à l'infini et, qui plus est, sans même jamais donner à penser que c'est bien à un *serial killer* qu'on a affaire.)

Mais disons maintenant que vous ne vous êtes pas laissé distraire par les belles perspectives d'une existence tout entière consacrée au meurtre. Vous avez décidé de vous en tenir à votre plan. Vous voulez vraiment voir périr votre épouse, et Boylan poser le cou sur le billot.

Parfait. Rien n'est plus simple.

La veille de votre cinquième nuit de pleine lune, savoir : le jour où un cinquième homicide est attendu, vous entrez chez Boylan et y planquez tous les souvenirs que vous avez pris à vos quatre victimes, soit : tous les articles périssables que vous avez empilés dans votre frigo. L'heure est en effet venue de procéder à leur transfert. Vous collectionniez les petites culottes de ces dames ? Ou alors vous préfériez leur piquer ici et là un article de bijouterie ? Cachez-moi tout ça dans la maison de Boylan. Et, pour certains de ces brimborions, on se donne la peine de les planquer dans des endroits vraiment impossibles, des endroits où il ne vous viendrait jamais à l'idée qu'on puisse un jour songer à s'en aller les chercher. Il y aura toujours quelqu'un pour le faire.

Et on laisse quelque chose qui reliera tout ça à vos meurtres. Vous vous étiez, disons, fabriqué des garrots avec du fil de fer ? Laissez donc traîner un rouleau de ce même fil de fer dans le tiroir à outils de votre ami. Vous voyez le tableau.

Cinq heures trente sonnant, on s'est déjà débrouillé pour se trouver dans la chambre où Blazes et votre épouse ont passé tant d'heureux moments ensemble. C'est votre femme qui entre la première. Mais vous, vous l'attendez, dissimulé derrière la porte.

Elle entre, vous la tuez.

Oui, oui : comme ça. Il n'y a pas de temps à perdre, même pas celui de lui laisser deviner ce qui va lui arriver. C'est justement à ça que vous a servi tout votre entraînement. Vous savez enfin agir sur le coup et ne plus vous perdre en vaines tergiversations. Vous frappez tel le cobra, vous tuez la poufiasse comme on écraserait une mouche – *et vous fermez la porte à clé, oui, et aussi au verrou.*

Enfin vous avez tout votre temps, même si, de fait, ça ne va pas bien loin. Dans une minute ou deux, c'est Boylan qui va se pointer – et trouver porte close. Monsieur est perplexe. Il a sa clé à lui ? Le verrou lui interdit d'entrer. C'était votre femme qui était la seule à avoir la clé ? Il se dit que son amante n'est pas encore arrivée. Dans l'un comme dans l'autre cas, il reste dehors pendant que vous, vous faites le nécessaire.

Savoir ? Ah, je suis bien sûr que vous connaissez la réponse. Vous faites tout ce qu'il vous a toujours fallu faire en pareil cas : vous déshabillez la victime, vous lui arrachez ici et là tous les petits morceaux d'être que vous avez l'habitude de prélever, vous préparez le décor comme à quatre reprises déjà vous l'avez fait. Mais vous n'emportez aucun souvenir – pas cette fois.

Comment vous réussirez à sortir de la chambre et à quitter Boylan dépendra des circonstances. Il est possible que vous ayez à improviser. Si Blazes se contente de rester résolument à la porte, déverrouillez celle-ci. Et lorsque enfin Boylan se ruera dans la chambre, cueillez-le par-derrière avec un instrument contondant. Vous l'assommez jusqu'à ce qu'il ait encore moins d'esprit que d'habitude. Vous lui collez un peu de sang de madame sur les mains et sur les vêtements, on peut même envisager de lui glisser le nez de la victime – le nez, ou autre – dans la poche de sa veste. Et après, vous décarrez et le laissez s'expliquer.

Vous êtes contraint de filer par-derrière et de laisser Blazes en rade devant sa porte ? Aucun problème, là non plus. Je ne vais pas me casser la tête pour des détails techniques qui, de toute façon, varieront avec la disposition exacte des lieux où doit se dérouler le meurtre (je ne les connais pas) et avec la conduite de Boylan (je ne saurais la deviner). Peu importe. Vous trouverez bien le moyen de vous tirer. Ce que Boylan, lui, ne pourra faire une fois que le piège se sera refermé sur lui.

Je ne crois pas que vous ferez rien de tout cela, et encore moins que vous m'obéirez de bout en bout. Je ne crois même pas que vous en ayez le courage.

Mais si vous le faites, ça marchera.

Deuxième lettre de Tim

Mes chers amis,

Franchement ! Vos cinq réponses, et ma demande était pourtant bien courtoise, m'ont beaucoup choqué. Pas par leur contenu : de ce côté-là, je dois dire mon émerveillement, ma fascination, même – cela inspire. Non, ce qui m'a choqué, c'est le mépris que vous semblez me vouer. Il faut croire que tous – jusqu'à Vlad l'Empaleur, qui sait ? –, nous avons besoin d'un peu d'amour. Ledit amour n'étant cependant pas un sentiment qui m'englue beaucoup, je me serais contenté d'une certaine *admiration* (même mitigée), voire du plus élémentaire des *respects*.

Correspondre n'est peut-être pas la manière idéale de fonder une amitié, mais c'est au moins un début. Et à lire les préambules dont nombre d'entre vous ont jugé bon de faire précéder l'exposé de leurs solutions, j'ai cru sentir que, chez certains au moins, on me prenait pour… disons : une merde ? Il se peut que j'aie l'air guindé, ou un rien empesé, que je sois trop poli, et politique au-delà de ce qui est permis, mais quoi ? Le respect des convenances n'est-il pas un masque impénétrable… et une nécessité dans ma branche ? Que d'un bout à l'autre de notre continent on ne me porte pas aux nues pour mes talents de dipnosophiste n'empêche pas que moi aussi, on l'affirme, je puisse me montrer d'un mépris foudroyant dans la conversation et dégonfler les fiertés outrancières de tous les petits pompeux qui s'agitent dans mes strates sociales.

Et si je puis ainsi embrocher les trois quarts de mes semblables, c'est parce que j'ai passé des années entières à les étudier. Et si je crois les imiter assez bien, c'est aussi parce que, diantre, je connais leur condition, ou ce qui en tient lieu. Ramener sa fraise d'une manière qui irrite absolument tout un chacun à portée de voix, je sais faire. Et cracher jusqu'au bord du trottoir aussi. Et encore prendre place dans un avion et, à trop haute voix, beaucoup trop haute, y détailler les finesses de mes stratégies en affaires. Raconter des blagues cochonnes à un ami en m'égouttant le bout dans l'urinoir du stade de base-ball ne me pose pas de problèmes non plus. Et je sais mâcher la bouche ouverte. Et décrire tout le plaisir qu'on éprouve à emporter la tête d'un canard d'un seul coup de pétoire. Et soutenir que les riches ne gagnent pas assez d'argent et, l'instant d'après, me plaindre que les pauvres s'en font toujours trop. Et quitter un ami le 31 décembre au soir en lui lançant « A l'année prochaine ! » pour mieux m'esclaffer ensuite. Et affirmer que c'est toujours la faute aux médias. Et sourire si fort qu'on m'en voie toutes les dents. Et avoir une opinion sur tout sujet qui secoue le vulgaire, et commencer à l'énoncer en brodant sur le thème « Tout dépend du contexte ambiant ». Et trouver une raison urgente de me servir de mon téléphone portatif au milieu des foules. Et porter un toast à une dame en lui lançant : « A toi, *babe*, enchanté d'avoir ton adresse[1] ! » Et flanquer de grandes claques dans le dos de *x* ou *y*. Et laisser croire que j'ai passé l'essentiel de ma jeunesse à bourlinguer sur un sloop afin de maîtriser toutes les techniques de la navigation.

Et puis encore écouter quelqu'un faire tout cela sans que jamais on ne lise sur mon visage autre chose qu'une indifférence sereine.

Ainsi donc, mes qualités sont indubitables. Et c'est mon mobile que certains d'entre vous trouveraient indigne ? Comme si, quel qu'il soit, ledit mobile ne pâlissait pas toujours devant le crime lui-même ! Comme si, dans le bon livre ou le torchon imprimé, l'énoncé du mobile ne décevait pas à tout coup ! Comme si le meurtre n'était pas l'occasion de si fabuleux excès que toutes les circonstances qui y ont poussé l'assassin pouvaient jamais satisfaire ! Non, il me semble, moi, que si le mobile expliquait vraiment le forfait, jamais le meurtre ne susciterait plus d'intérêt que la vulgaire bagarre de café – laquelle est, certes, toujours excitante quand on s'y trouve mêlé, mais ne peut en aucun cas fournir matière à écrit, ou méditation quelconque.

Qui plus est, analyser mes petits mobiles – de la vengeance, hé oui ! rien de plus – sans les replacer dans le contexte du grand art auquel j'entends élever mon

1. Parodie d'une des dernières répliques de *Casablanca (NdT)*.

affaire, c'est me couper si impitoyablement les ailes de la pensée avec le rasoir d'Occam[1] qu'à la fin on se retrouve avec un squelette au lieu d'un être de chair. Ne vous ai-je donc pas expressément signalé que mon acte devait aspirer à un statut qui de loin transcendât le mondain ? Réduire mon propos à l'exécution d'une basse vengeance ! Ce serait comme de soutenir que Shakespeare n'écrivit ses pièces que pour gagner sa vie au théâtre du Globe. Et que Michel-Ange ne traîna ses échafaudages sous les plafonds de la chapelle Sixtine que pour arracher quelques malheureuses indulgences au pape.

Depuis que je vous ai écrit ma première lettre, la situation qui est la mienne n'a pas évolué. Madame et monsieur s'ébattent toujours au même endroit – et aux mêmes heures. Seule la fréquence des rendez-vous a augmenté. C'est maintenant *tous les jours* qu'on se retrouve. Et l'on dirait bien que c'est le même moteur qui alimente le désir et les cruautés de mon épouse. Vous pensez peut-être (il n'est que de vous lire) que mes cruautés à moi valent bien les siennes, mais non : même moi, je sais mettre une limite aux traitements qu'il convient d'infliger à tous ceux qui errent de ce côté-ci du Styx. Je pourrais certes tuer des gens, mais jamais je ne me permettrais de les blesser dans leur âme.

Sans compter qu'à une époque où l'essentiel de nos vies se lit comme à livre ouvert, se montrer cruel est bien difficile. La vraie cruauté n'exige-t-elle pas qu'on ait d'abord percé le mystère d'autrui ? Et peurs intimes,

1. William Occam, célèbre *doctor invincibilis* d'Oxford dont la thèse dite de la « réalité du rasoir » annonce celles de F. Bacon, Hobbes et Berkeley *(NdT)*.

monomanies diverses, péchés, voire simples pensées, chacun ne se dit-il pas tellement de nos jours qu'il en devient quasiment impossible de repérer l'endroit précis où il convient de planter la verbale dague ? Mon épouse, elle, mit, l'autre jour, en plein dans le mille avec un de mes voisins.

Invités à dîner chez un ami, nous nous étions retrouvés à dix autour de sa table. Mon rival semblant se montrer maintenant dans les endroits les plus inattendus, Blazes était de la fête – évidemment. Je sais que l'audace est de rigueur dans ce genre de situations, mais avoue que le voir dans la même pièce que moi me blesse plus que tous les fantasmes pornographiques qui m'assaillent lorsque, seul dans mon lit, j'attends le sommeil.

A notre table avait aussi pris place un couple bien naïf et, en gros, fort sympathique – Georgia et Ben. Effet d'un curieux hasard dans l'attribution des sièges, cette Georgia se trouvait à côté d'une autre femme, dont elle était l'amie depuis longtemps et avec laquelle elle devisait sans déranger personne. Autour de la table, la conversation était très animée, chacun se laissant aller abondamment de la gueule et les rires montant souvent à l'assaut des lambris en acajou, parfois jusqu'au plafond de la verrière à travers laquelle on voyait les étoiles. Et c'est alors – cela arrive – qu'un grand silence s'abattit autour de la table. D'après certains savants, ce phénomène se produirait régulièrement au bout de sept ou douze minutes de conversation. Enfin… vous savez de quoi je parle : je parle, oui, de cet instant fort désagréable où, chacun étant parvenu à la conclusion de son histoire en même temps, tous les bavardages semblent soudain s'évaporer de conserve. A notre table, tous se turent, sauf une personne. Les rires en *staccato* qui grimpaient aux murs redescendirent en glissant et, ce faisant, montrèrent, comme du doigt, le seul individu qui continuait à jacasser : Georgia. Celle-ci était au beau milieu d'une pensée et, moment sensible et vertigineux s'il en est, avouait quelque chose à son amie : « ...comme j'ai de la chance que mon Ben, non seulement soit un père merveilleux, mais encore un superbe amant ! » disait-elle.

Pauvre et naïve Georgia ! Elle parlait toujours aussi fort que dans une conversation ordinaire, sa remarque dégringola derechef sur la table, toute nue et privée de son contexte. L'espace d'un instant, tous, nous la regardâmes, et nous apprêtions à laisser le sourire s'étaler largement sur nos visages (partout ailleurs, l'affaire n'aurait été prise que pour un incident des plus comiques) lorsque mon épouse aboya ceci :

– Oh que non !

Comment arriverai-je jamais à vous décrire la bestialité de cet instant ? C'en était à croire qu'avec ces trois petits mots, ma femme avait gelé tous les vents du dehors. Un silence menaçant s'installa autour de la table. Aussi bien tout le monde savait-il que s'il était une personne à pouvoir lancer pareilles accusations, c'était bien ma moitié. Et c'est justement là que réside la profonde cruauté de ce moment – ma femme me disait certes son adultère, mais surtout, par cette repartie, assurait que le doute qu'on pouvait avoir sur les prouesses amoureuses de ce Ben était avéré.

Je ne suis pas près d'oublier l'horreur indicible qui tordit le visage de Georgia. Voir le sentiment que l'on éprouve soudain basculer de l'amusement joyeux à l'immonde insoutenable semble souvent immobiliser la tête de côté et faire naître des tics sur tout le visage. Je me souviens que je me détournai de la bavarde – par respect sans doute, mais peut-être aussi par compréhension et souffrance partagée –, et sur la figure de Blazes vis une expression étrangement semblable (quoique un rien plus faible) faire peu à peu son chemin. Était-ce la première fois que mon ami découvrait la cruauté de mon épouse ? Comprenait-il brusquement ce que moi, je savais depuis des éternités ? Devinait-il que le jour où, moi écarté, tout enfin s'accorderait à ses désirs, il serait celui qui risquait de recevoir les piques de ma femme de plein fouet ?

Mais, dès le lendemain de ce jour, je sus que les desiderata de mon ami Blazes ne se réaliseraient jamais. Après avoir ouvert la boîte aux lettres que j'ai prise sous un faux nom, je décachetai à la hâte la réponse de M. Westlake. Il se peut que mon humeur ait été encore marquée par la sauvagerie de la scène à laquelle j'avais assisté la veille. Toujours est-il que je dévorai sa solution avec un plaisir tel que je décidai aussitôt qu'il n'était nul besoin d'attendre les quatre autres réponses. Et, dans l'instant, je me mis au travail.

A suivre les instructions de mon correspondant, il allait falloir que je me crée une autre existence (présente et passée) dans une ville voisine. Je choisis la cité qui me convenait le mieux et me rendis à la bibliothèque municipale afin d'y étudier les notices nécrologiques parues dans la presse. Et me trouvai une vie superbe qui, ô joie, avait débuté le jour même où ma propre épouse était née ! Si j'arrêtai que ce pauvre bambin décédé serait mon alter ego, c'est surtout parce que, Diana Clement de son nom, ce bambin était une fille.

Mon physique étant ce qu'il est (je suis imberbe et, d'aspect, passablement androgyne), on me prend parfois pour une femme. La solution de M. Westlake me donnant l'occasion de jouer le rôle de ma vie, je me procurai l'acte de naissance de Diana. (C'était donc vrai ? Les naissances et les décès n'étaient pas consignés dans les mêmes registres à l'état civil ? C'était presque trop simple...) Après m'être livré à quelques expériences en matière d'habillage contre nature, je conclus que, pour devenir Diana, il me suffisait d'avoir toujours trois objets dans mon sac unisexe (marque J. Crew, 29 dollars 95 – je vous le recommande dans sa version moutarde de Dijon) : une perruque, un soutien-gorge rembourré et une paire de souliers plats de grand prix.

Cette transformation s'effectuant en à peine cinq minutes, je décidai de mettre en plus une chemise boutonnée – laquelle est tout ce qu'il y a de plus masculin jusqu'au moment où, en y logeant une modeste poitrine, on obtient un de ces chemisiers relax à la J. C. Penney que l'on voit absolument partout entre neuf heures du matin et cinq heures de l'après-midi les jours de semaine. Tenue de bureau par excellence, la paire de pantalons d'homme ne tranche pas vraiment l'ambiguïté. Il ne me restait plus qu'à régler le problème de la tête et des pieds.

Les perruques de femmes sont plus réalistes, leur qualité semblant même très en avance sur celle des postiches pour hommes. Cette différence provient sans doute de ce que les femmes se font rarement une raie. (Masculine ou féminine, toute chevelure artificielle ne devant surtout pas présenter de raie, beaucoup de perruques de femmes paraissent plus naturelles. Cela étant, il suffit de voir un homme avec des mèches qui vont d'oreille à oreille pour se dire : attention, moumoute.) Pour ce qui est des pieds enfin, rien ne rend le corps plus féminin qu'une paire de souliers plats à 500 dollars. Vous pouvez me croire.

La beauté de tout cela ? Qu'homme, je pouvais me glisser dans des toilettes dames inoccupées et, cinq minutes plus tard, en ressortir en me tortillant un rien de l'arrière-train, le visage fardé et les lèvres légèrement maquillées et la voix un peu plus haute (ténor que je suis, cela ne me pose aucun problème). Je suis même capable de me débarrasser de mon sourire masculin et, timide ô combien, de me façonner un visage tel qu'on me prendra aussitôt pour une représentante du sexe faible. Femme, je n'ai certes pas alors des traits bien remarquables, et parais même un peu hommasse malgré mes longs cheveux bruns. Mais il me suffit de jouer un peu les coquettes pour que soudain tous les hommes ou presque me trouvent séduisante. Ma transformation est complète. Diana je suis, entièrement.

La facilité avec laquelle je me transforme ainsi est telle que je me demande parfois ce que Sherlock Holmes pourrait bien dire de notre Amérique d'aujourd'hui. Il y a cent cinquante ans, et encore, il nous publiait régulièrement de savantes monographies dans lesquelles il nous prouvait qu'à fumer tel ou tel cigare, M. X ne pouvait pas ne pas vivre dans tel ou tel quartier de Londres, ou qu'à avoir des mouchoirs en soie d'une certaine qualité, Mme Y ne pouvait pas ne pas appartenir à tel ou tel milieu social. Gloser aussi savamment sur ce qui distingue les classes sociales lui serait aujourd'hui totalement impossible : heureux s'il pouvait même seulement remplir deux ou trois pages de carnet en y décrivant ce qui, ici, dit qu'untel est un homme et unetelle une femme !

Ruser de la sorte m'enthousiasmait tellement que je décidai de mettre mon déguisement à l'épreuve. Diana, j'apportai des habits chez mon teinturier et fis la connaissance du patron de l'établissement – c'est un homme charmant. Le temps passant, j'en arrivai à certaines conclusions qui, après d'innombrables expériences dans ce domaine, ne sauraient se formuler que de la manière suivante : c'est moins en se fiant à leurs apparences qu'on identifie les gens qu'en s'arrêtant à leur personnalité profonde. Changez celle-ci et, jusqu'à l'aspect extérieur de monsieur ou de madame, il n'est plus rien qui ne se perçoive autrement. Afin de me le prouver, j'entrai dans un magasin sous mes airs d'homme. J'avais deux centimètres de moins que Diana, des cheveux roux coupés court et l'air un tantinet dédaigneux que l'on associe généralement avec les gens fortunés. Le marchand ne m'accorda même pas un regard. Quelques jours plus tard, lorsque Diana franchit la porte de sa boutique, notre homme ne fut plus qu'un seul et même déferlement de salutations empressées.

Je prenais, bref, presque trop de plaisir à jouer ce rôle et à ainsi me procurer cartes de crédit et autres permis de ceci et de cela. Je sens bien que les psy se régaleront de cette partie-là de mon autobiographie, mais quoi ? Ça les occupera et j'en suis heureux. En plus, je ne dirai pas tout. Sachez seulement que la version patronage de *Madame Butterfly* fut effectivement jouée par Diana lorsque, devant le local du Bureau des véhicules à moteur [1], un jeune officier de police se mit en tête de me dévoiler tous les secrets du stationnement en double file et autres demi-tours en trois coups de volant.

Le plaisir qu'on prend à se créer un double vient en grande partie de l'improvisation dans laquelle il faut constamment se lancer dès qu'on veut projeter une image de soi qui tranche vraiment sur ce qu'on est d'habitude. Afin de me faciliter la tâche, je devais donc trouver un système qui permît à Diana de rappeler ses correspondants vingt-quatre heures sur vingt-quatre et sept jours sur sept – et promptement dans certains cas. Dans l'appartement de la dame, j'installai un répondeur avec interrogation à distance, appareil que je couplai à un modem (100 dollars chez Radio Shack) lui-même programmé pour appeler certain numéro vert cinq minutes après le coup de fil enregistré sur cassette. Ce numéro vert était, bien sûr, celui de mon *biper*, petit engin assez répandu chez les gens qui comme moi s'efforcent toujours de paraître fortement occupés. Ainsi, il ne me suffit maintenant plus que d'attendre cinq minutes pour qu'un

1. Équivalent américain du Service des cartes grises *(NdT)*.

petit *bip* me signale qu'on a appelé mon alter ego. Je me passe alors la cassette et, si le message est important – et ils le sont tous lorsqu'on en est encore à se créer son image –, je rappelle. (Mon forfait accompli, il ne me resterait plus qu'à déprogrammer mon modem pour que, la compagnie locale du téléphone ne comptabilisant pas les appels passés à un numéro vert, toute trace susceptible de m'accuser disparaisse dans l'instant.) Inutile de préciser que Diana ne la ramène pas lorsque ce sont de gros bonnets du voisinage qui l'appellent et veulent en savoir un peu plus sur elle qu'il ne convient. Cela dit, teinturier, épicier et autres employés du magasin de location de vidéos, mon amie est déjà très connue des petites gens du coin. Bref, j'avais déjà le profil idéal pour le meurtre non moins idéal que j'allais commettre.

Je me félicitais d'avoir ainsi réussi à planter Diana dans son aimable décor et étais tout prêt à passer à la deuxième étape du plan de M. Westlake lorsque je reçus la réponse de M. Lovesey. Ça, pour un truc rococo agrémenté de bizarre… un requin qui va ouvrir la porte ? Je me jetai tête la première dans sa solution.

Clés de voiture, clés d'appartement et passe de l'auberge, il allait me falloir beaucoup de clés. Au début, je redoutai. C'était bien là le genre de préparatifs risqués qui font battre le cœur parce qu'ils exigent de celui qui les entreprend une dose de courage que nombre d'entre nous n'ont pas. J'y vis un exercice salutaire et une belle façon de m'aguerrir avant de devoir accomplir l'acte le plus téméraire qui soit.

Afficher une confiance de tous les instants, c'est

s'assurer le contrôle du monde. Comme quoi, vous tous qui faites chauffer le moteur avant de m'admonester sur les dangers de l'arrogance et de l'orgueil, reposez céans vos stylos. Avoir trop confiance en soi est un défaut, mais en avoir juste assez un *must*. Celui qui est sûr de lui constamment se surveille, et sait se tenir dans les limites mêmes des talents qui lui sont propres. Je n'en revins pas de découvrir à quel point tout s'ordonne dans la direction qu'on désire suivre lorsque, simplement, on *décide* qu'il en sera ainsi. Ce que le monde peut être peuplé d'individus hésitants qui, dans la plus grande anxiété, toujours attendent qu'on leur donne des instructions ! Mais ce que ce même monde peut être aussi ouvert à tous ceux qui, sans complexe, leur indiquent alors le chemin !

Le jour où Blazes et moi fûmes invités dans un club de la périphérie fréquenté par bon nombre de mes anciens amis, je compris soudain que la chance me souriait. Je fis en sorte que Blazes m'emmène en voiture. Le groom de l'endroit exigeant toujours qu'on lui laisse les clés sur le tableau de bord, pendant le déjeuner, je prétextai brusquement que j'avais à saluer des gens assis à une autre table et assurai Blazes que je n'en aurais que pour dix minutes. J'allai au parking et demandai au groom de m'apporter *la* voiture. M'ayant vu en sortir quelques instants plus tôt, il crut fort simplement que c'était la mienne. Je m'installai au volant et me rendis chez un serrurier, dont j'avais déjà repéré la boutique. Je me fis faire tous les doubles nécessaires et, comme promis, revins au club en moins de dix minutes, le groom s'en allant garer de nouveau la voiture. En ressortant du club un peu plus tard, je pris soin de brouiller encore les pistes en demandant à Blazes l'autorisation de conduire à sa place : j'avais vu quelques maisons intéressantes que je voulais lui montrer et… cela l'ennuierait-il que je prenne le volant ? Le groom ne fut nullement surpris lorsque, dans la conversation, je fis semblant d'être le propriétaire du véhicule et lui lançai : « Ramenez-moi la Lincoln ! »

Dans la solution de M. Lovesey, la question des clés n'est, bien sûr, qu'un tout petit détail, mais bon… M. Lovesey exigeait que je fusse passionné de pêche ? Dieu merci, je l'étais déjà. Mais il fallait maintenant le montrer d'une manière spectaculaire. J'invitai quelques amis à se joindre à certaines de mes expéditions. Je m'achetai le meilleur équipement possible, m'abonnai à *Appâts et Hameçons* et commençai à exagérer la taille de mes prises. Ce travail une fois accompli, M. Lovesey voulait encore que je me livre à certaines plaisanteries diaboliques. Je décidai d'inventer les miennes. Ne pas trop pousser dans ce domaine est une nécessité, je vous l'accorde, mais que je vous dise et je serai sans doute le premier à le faire : les clés, c'est facile, la bête marine, c'est autrement plus compliqué.

Les rapports que j'entretiens avec le directeur du laboratoire de biologie marine m'avaient permis d'apprendre – laisser traîner habilement ses oreilles ici et là est utile – qu'un événement extraordinaire était sur le point de se produire sur les quais du port : on attendait l'arrivée de deux douzaines de *Macrocheira kaempferi,* qui sont des crabes géants fort célèbres au Japon. Les plus gros de ces engins sont équipés de chélates qui atteignent parfois trente centimètres. Ça, pour de la pince… ! Des monstres, oui ! La carapace a souvent un bon pied de diamètre et c'est de cette espèce de plate-forme que rayonnent dix périopodes émaciés – ou pattes –, chacune de ces dernières grosse comme l'index et capable de soulever l'ensemble de la structure jusqu'à des un mètre vingt du sol !

La question du transport était cruciale dans mon affaire, mais c'est justement là qu'être homme pouvait servir. Je ne sais personne qui ne maintienne des relations avec des individus bizarres, genre le type qui, après un troisième bourbon, s'en vient vous susurrer à l'oreille qu'il connaît un gus qu'on peut toujours appeler en cas de *vrai* besoin. Sur quoi le type ouvre grands les yeux et vous gratifie du petit hochement de tête entendu qui signifie qu'il s'agit là d'un renseignement qui n'intéresse que les hommes sérieux et tiens, comme c'est étrange ! sérieux, il l'est justement au plus haut point.

Me rappelant alors le nom d'un de ces combinards dont on m'avait parlé, je lui passai un coup de fil. L'individu opère derrière une manière de petit guichet. Jamais on ne le voit, jamais il ne vous regarde. Je fis la queue avec tous les fêlés au crack et autres putes sans le sou qui voulaient lui soumettre leur CV. Je lui chuchotai ma requête : il allait falloir dérober plusieurs caisses assez grosses et laissées sans surveillance sur la jetée ; puis, à six heures du matin, les porter à une certaine adresse (la mienne) et en libérer le contenu (savoir une douzaine de crabes énormes, mais inoffensifs) sur la pelouse de devant. L'homme me fit préciser quelques détails de logistique – sans jamais me donner à penser que ma demande fût plus étrange que la dernière qu'il avait reçue –, puis arrêta le prix à payer. Je lui passai la somme par le guichet et lui donnai la date d'arrivage du chargement.

Le matin convenu, mes hommes de main livrèrent les caisses, et les ouvrirent, sans laisser de traces. L'aube pointait à peine lorsque, vers six heures moins dix, le téléphone sonna. Ce fut mon épouse qui, comme d'habitude, décrocha : un de nos voisins nous appelait pour nous demander – et avec quelle insistance ! – de jeter un coup d'œil à la pelouse de devant. Ma femme descendit de sa chambre à toute allure et me hurla qu'il se passait des trucs insensés devant la maison. Et lors, que vois-je apparaître à l'horizon ?... Une scène à faire trembler Dante, je vous dis. Mes crabes n'en étaient encore qu'à se dérouiller les pattes afin de sortir de la léthargie qui, décalage horaire oblige, les avait saisis dans leurs caisses. L'un d'entre eux ayant visiblement péri et s'étant pas mal raidi *en route**, mes gaillards l'avaient assez ingénieusement accroché, par une pince, à une branche d'arbre. Jolie trouvaille. Un autre avait déjà gagné l'allée et se dirigeait vers la rue. Je tapai à ma fenêtre – pour ma femme, j'avais pris soin de me donner des airs alarmés, mais entendais néanmoins paraître aussi curieux qu'un mâle normalement constitué. Mon épouse me rejoignit à la fenêtre pour mieux voir : là, sous nos yeux, douze paires de guibolles longues d'au moins quarante centimètres, et toutes surmontées d'yeux noirs et gros comme des soucoupes, scrutaient frénétiquement les environs, leurs pinces innombrables broyant l'air dans une espèce de grand sifflement plein de menaces.

La scène n'aurait pas pu être plus terrifiante. Le crabe mort qui, ô surprise, craquait à n'en plus finir au bout d'une des branches du chêne d'ornement de ma pelouse ? Du grand art, vraiment. Mon épouse hurla de terreur, poussa un cri encore plus glaçant que le spectacle que nous contemplions. J'avalai bruyamment ma salive (surtout rester dans le ton) et, m'en prenant à mes serviteurs absents, leur aboyai d'appeler Police Secours.

J'étais tellement satisfait de tous ces résultats que j'envisageais d'y ajouter une plaisanterie de mon cru – cette fois-ci, je ferais dans le cachalot –, lorsque la réponse de M. Hillerman m'arriva. Je m'abîmai dans la rêverie et passai un après-midi entier à méditer sur la beauté toute classique du champignon. Ah, comme le choix de l'arme, chez M. Hillerman, toujours éveille des échos et fourmille d'allusions ! Le champignon, c'est le conte de fées. Le champignon, chez Jung, c'est l'archétype premier. Le champignon, c'est la haute cuisine. Le champignon, c'est la sentinelle qui signale les corruptions de la nature. Le champignon, c'est le poison des rois. Le champignon, c'est toute notre histoire.

A corps perdu, je me lançai dans l'étude des champignons et vite concentrai mon attention sur les propriétés de certaine *Amanita*, dont toujours dans les livres on dit qu'elle serait « la plus mortellement dangereuse ». *Amanita !* Quel joli nom ! On croirait presque entendre « ma petite chérie ».

Mais, comme vous le savez peut-être, l'univers des amanites et de leurs cousins est bien vaste et splendide. Tout orange comme le potiron de la Toussaint, la lanterne de Jack, qui est longue de queue et large du chapeau, fait merveilleuse ombrelle au gnome. Ses charmes physiques ne le cèdent qu'à la violence de son poison. Il est aussi l'amanite tue-mouches, la russule amère et l'Ange de la Mort. Comme ils sont tous magnifiques, comparés aux minuscules tabourets en forme de phallus tout gris que nous préparent les tenants de la nouvelle cuisine. Et tous, ils tuent, bien sûr.

Comme on le déclare dans certain ouvrage, la plupart des amanites provoquent « des vomissements et des diarrhées, déclenchent des flots de salive, empêchent la miction, brouillent la vision et, faisant tourner la tête, interdisent tout désir de bouger. S'ensuivent alors un alanguissement général, un état de profonde stupeur, des sueurs froides et un ralentissement marqué des battements cardiaques ». Ce n'est qu'au bout de deux jours de ce calvaire qu'enfin on meurt. L'artiste que je suis ne pouvait que s'émerveiller devant semblables possibilités. J'aimais surtout le côté « flots de salive ». Mais, ainsi que je l'ai déjà dit, l'art ne saurait être fait d'excès. J'explorai d'autres ouvrages.

Et tombai alors sur une espèce d'amanite qui, assez rare, tue presque instantanément, et si violemment et brusquement contracte les muscles, la peau et le visage de la victime qu'après le trépas, celle-ci est souvent retrouvée les narines largement dilatées et les paupières tirées en arrière – sans parler du sourire proprement démoniaque qui fend la gueule du mort d'une oreille à l'autre. Qu'au niveau du bizarre, pareils résultats puissent séduire n'empêche pas qu'à mon avis, au moins, ce genre d'effets ait plus sa place dans la bande dessinée ou le film d'horreur du vendredi soir.

Poursuivant mon labeur, je finis donc par atterrir à la salle des périodiques (tous sur microfilms) de ma bibliothèque locale. Je voulais savoir ce qui se disait dans les milieux les plus sensibles au *feeling* champignon. Et découvris alors un article où on parlait d'une espèce d'amanite tellement rare qu'on la croyait disparue. Elle aurait vu le jour dans un bassin bien précis de la forêt équatoriale brésilienne et, après une courte existence, se serait éteinte. Mais voilà que tout soudain on en redécouvrait des spécimens dans des mines de charbon abandonnées, voire dans certaines rues désertes des villes fantômes de l'Ouest américain ! C'en était à croire que la nature avait décidé de réintroduire ses champignons les plus vénéneux dans les blessures les plus béantes et dévastatrices que l'homme eût jamais infligées à la terre.

Cela dit, et technicolorement parlant, l'amanite que je venais d'exhumer n'a pas l'exubérance de ses sœurs. Grise et blanche d'aspect, elle ressemblerait au *shii-ta-ke* du Japon et, les quelques malheureux qui pourraient le savoir le disent, aurait « un vague goût de poulet ». Elle aurait aussi pour effet de serrer assez fort le larynx pour qu'un râle puisse en sortir, mais non, jamais un discours un tant soit peu cohérent. Quelques instants plus tard, les jointures commencent à se tendre, puis, se raidissant de plus en plus, tout à coup se bloquent. La victime, c'est typique, pique alors du nez et s'écrase par terre avec toute la grâce d'un semi-remorque. Après quoi, bien sûr, on se tortille beaucoup sur le sol et tente, mais en vain, de trouver un antidote : il n'y en a pas.

C'est lors d'une de leurs nombreuses et infructueuses incursions dans les montagnes du Nouveau Monde que des explorateurs espagnols découvrirent les mauvais effets de cette espèce particulière. On avait fait cuire des champignons du coin, on en ressentit aussitôt les atteintes. Les corps des malheureux furent retrouvés à diverses distances du feu de camp central, dont il ne restait plus que des cendres froides, et, fait bizarre, tous avaient pris des formes alphabétiques. A en croire le compte rendu plus que trouble de l'évêque qui rapporte ces faits, deux d'entre de ces cadavres auraient même été « soudés dans l'union qui le plus misérablement profane le nom de Dieu. A ainsi contempler ces satyres collés ensemble, il me revint certaine observation que m'avait faite un de mes frères prêtres et selon laquelle juste avant la mort sacrificielle, beaucoup d'animaux, sentant le sang des autres, inexplicablement s'accouplent. Dieu, peut-être, le leur pardonnera ». Ayant lu tous ces détails, je sus bien évidemment, et aussitôt, qu'enfin j'avais trouvé l'arme de mon crime.

Mais, le lendemain matin, c'était la réponse de Mme Caudwell qui atterrissait dans ma boîte aux lettres et… comment résister aux charmes de ce qui m'était proposé ? J'avais déjà, c'est vrai, beaucoup rêvé d'une solution qui me permît d'accomplir moi-même mon forfait, et de la manière la plus intime qui fût. A la pointe d'une dague ! Je remarquai certes que la méthode était vieille comme le monde, mais m'avisai vite que les circonstances dans lesquelles j'allais procéder avaient tout ce qu'il y fallait de théâtral : un vrai mélo à la manière *Tétralogie*. La solution de Mme Caudwell mettait en branle plusieurs continents, avait des implications internationales et recourait beaucoup au costume. Brusquement, je me retrouvai en train d'étudier divers motifs de tartan, jetant les Campbell de Breadalbane contre ceux d'Argyll, dressant le Mackenzie contre le Mackintosh.

Et puis, ce fut la lettre de M. Block. Avec quelle rapidité j'expédiai alors mon kilt aux orties afin de me constituer une collection de poils, que très vite j'enrichis de rognures d'ongles et de divers lambeaux de peau. Dans l'univers quasiment lilliputien du médecin légiste je m'immergeai. Et, après m'être une ou deux fois glissé dans la chambre 1507 (après les ébats, c'est clair, et jamais personne ne m'y vit entrer), enfin je devins assez savant pour reconnaître d'un seul coup d'œil le poil de monsieur et le poil de madame, et encore distinguer entre les pilosités qui parent le pubis, le dessus du crâne et l'arcade sourcilière.

Bref, j'avais déjà amassé assez de preuves pour qu'à la trace, un privé, même débutant, pût remonter la piste et se dire que ses conclusions, il y était arrivé par la seule force de ses déductions cartésiennes. Malheureusement – le destin en décide parfois ainsi –, mon épouse m'annonça alors que les cauchemars qui la hantaient depuis l'affaire des crabes japonais étaient tels qu'elle avait décidé de toujours avoir une bombe lacrymogène dans son sac à main. En ayant abondamment parlé à ses amies, elle avait ainsi évidemment, et parfaitement, remis le scénario de M. Westlake au goût du jour. Une fois de plus je me laissai séduire par ce qui m'y était proposé. Pour résumer, j'en étais revenu à mon point de départ, je m'assis pour réfléchir un peu.

Toutes ces lettres que j'avais devant moi avaient, chacune dans son genre, de quoi séduire. Il y avait l'audace brutale de M. Westlake me suggérant de passer l'amant au gaz lacrymogène et de lui tendre le revolver afin de mieux l'engluer dans un lacis de preuves inextricables. Il y avait tout le cinéma d'un M. Lovesey me demandant de bouffonner pour mettre en place un thème maritime. Et encore M. Hillerman qui, lui, revigorait le classicisme du champignon en lui insufflant toute la modernité du meurtre en série chez le traiteur du coin. Et aussi la grande pompe d'une Mme Caudwell qui rêvait bals costumés et hurlements suraigus des cornemuses. Et enfin le cachet proprement postmoderne d'un M. Block qui jouait tout dans le champ minimal de la lamelle qu'on glisse sous le microscope.

Je repoussai mes nuits d'études et mes journées d'action à plus tard afin de sonder l'extraordinaire dilemme qui était le mien. Et alors il me frappa que si du meurtre on peut effectivement faire un art, nous tous qui passerons jugement à la fin devons d'abord pratiquer la critique. Et donc, voici ce que je vous demande : quelle solution choisiriez-vous si vous étiez à ma place ? Étant entendu que vous avez le droit de préférer le plan que vous m'avez soumis, songez à l'honorable compagnie dans laquelle vous vous trouvez et convainquez-moi d'arriver à la même conclusion que vous. Je commence à beaucoup goûter cet échange de lettres.

Deuxième réponse de Tony Hillerman

Cher client potentiel,

Et maintenant j'apprends que, contrairement aux apparences, dans votre première lettre, vous ne me passiez pas contrat, mais alliez tout simplement à la pêche ? Et qu'en plus de moi, vous tentiez de sonder quatre de mes collègues sans vous engager fermement auprès de quiconque ? Sachez que je trouve votre procédé tout à fait répréhensible. Je suis d'ailleurs certain que ces autres personnes que vous avez sollicitées pensent comme moi. Votre épouse déciderait-elle de renverser la situation en vous supprimant la première que je serais fort heureux de lui donner tous les conseils dont elle pourrait avoir besoin.

Cela dit, que l'ignominie de votre conduite dépasse ce qu'on ne saurait attendre que des gens d'Hollywood n'empêche pas que vos prémisses soient justes. Comme vous le dites, l'assassinat en tant qu'art connaît un horrible déclin. Oui, les verts pâturages dans lesquels à cinq nous broutons sont devenus tout secs et tout bruns et auraient grand besoin d'engrais. Et le meurtre dont vous nous parlez apporte une solution au problème. Voilà pourquoi j'accepte de perdre encore un peu de mon temps pour vous aider à ne pas tout baiser.

Et d'abord, permettez qu'ici je vous mette en garde contre les conseils de Sarah Caudwell. L'Écosse, c'est vrai, offre certains avantages évidents. Étant donné que la Grande-Bretagne – et plus particulièrement l'Écosse – est un pays où le crime est relativement rare, votre assassinat ne saurait y passer inaperçu. A condition de mener votre affaire comme il faut, les Écossais ne manqueraient pas de s'intéresser beaucoup à vous et, qui sait ? peut-être même auriez-vous les honneurs du *Times* de Londres. Mais le ton de votre lettre me dit que vous cherchez plus que cela et que vos désirs outrepassent, et de loin, tout ce qu'on vous propose là. Quitter l'Amérique afin d'attirer l'attention dans les Îles britanniques serait aussi sot que de délaisser l'Islande pour aller vous engager dans un championnat de canoë-kayak dans le Nord du Sahara. Ne jamais oublier que pour ces messieurs de Fleet Street, il suffit de trois ou quatre homicides qui se ressemblent un peu pour qu'on crie au *serial killer*. Notre Bundy en avait déjà perpétré une trentaine en Floride, et quelques autres dans l'Ouest, avant qu'enfin on le remarque. Et même avec ça, il reste loin derrière certains de nos compatriotes californiens.

Je reconnais que le plan de Sarah ne manque pas d'*élan**. Et qu'ainsi coincer et aussi cruellement frustrer votre Blazes n'est pas dénué de charme. Il n'empêche : Sarah ne tient aucun compte du principe de la tartine beurrée, qui veut que tout ce qui pourrait tourner mal, oui, tournera mal. Écrivain de son métier, elle ne devrait pourtant pas ignorer ce qui arrive lorsqu'on fait trop confiance aux magnétophones et aurait quand même pu se dire qu'ajouter un déclencheur à distance à l'équation multipliait singulièrement les risques de débâcle. Aucun d'entre nous ne serait écrivain si, tous autant que nous sommes, nous savions nous débrouiller d'instruments un rien plus compliqués que le tournevis, le bouton de porte et le taille-crayon.

Prenons, par exemple, la scène cruciale que Mme Caudwell vous propose et imaginons ce qui pourrait vraiment se passer.

Vous laissez tourner la pendule jusqu'au moment approprié et attendez votre hurlement préenregistré.

Silence.

Vous attendez encore un instant, la sueur commençant à vous perler au front.

Silence.

Et alors, voici que Blazes se pointe à la porte, l'air hébété.

– Diable, lance-t-il, on dirait bien que quelqu'un a poignardé la femme de Tim.

Qu'est-ce que vous faites, hein ?

Ou, pire encore :

Vous attendez votre hurlement préenregistré.

Un bruit horrible monte de la chambre, tels, disons, les coin-coin frénétiques du canard entré en démence. Vous vous êtes planté dans les boutons du magnétophone, ce qui, semble-t-il, est toujours le cas des écrivains qui s'essaient à manipuler des engins conçus pour des gens plus malins qu'eux et qu'est-ce que vous entendez ? Quelque conversation dont vous avez tout oublié, mais qui passe quand même à l'envers et à toute allure ?

Vous vous dressez d'un bond et, sans plus jouer les grands paniqués, vous vous écriez : « Ah, mon Dieu, c'est ma femme ? Bordel d'Adèle, qu'est-il en train de lui arriver ? »

En attendant qu'un des invités assis à côté de vous renchérisse en hurlant : « Ah, mon Dieu, des canards ! Il y a des canards dans la maison ! »

Sur quoi, Blazes se pointe à la porte, l'air hébété.

Et lance : « Diable ! On dirait bien que quelqu'un a poignardé la femme de Tim. Et en plus, je crois qu'il y a des canards dans sa chambre… sous sa robe ! »

Bref, je serais d'avis que vous envoyiez à Mme Caudwell un petit billet poli, mais de ferme refus. Laissez tomber l'Écosse. Vous voulez un meurtre aux dimensions épiques ? Commettez-le donc sur nos terres natales, au pays de la National Rifle Association[1], dans des contrées où, l'homicide tuant plus de gens que les dix-neuf virus les plus connus mis ensemble, la violence est vraiment comprise et appréciée. Pourquoi croyez-vous donc que les gardiens des hôtels où on loge les écrivains en tournée de signature ordonnent toujours aux garçons d'étage de passer cinq minutes à expliquer auxdits écrivains en vadrouille comment faire entrer la clé dans la serrure, changer de chaîne à la télé, ne pas s'ébouillanter sous la douche, voire comment se débrouiller du téléphone ?

1. Ou Association nationale pour la promotion des armes à feu *(NdT)*.

Et profitez de ce que vous êtes en train d'écrire votre lettre à Sarah pour en faire une copie et l'envoyer à Peter Lovesey. Aucun Américain digne de ce nom n'oserait traiter de *serial killer* un George Joseph Smith dont le sac à malices ne contint jamais que trois têtes. Les Anglais n'ont vraiment aucun sens des proportions dans ces affaires.

Le scénario de Lovesey, c'est vrai, aurait plus de chances de faire la une que celui de mistress Caudwell. Mais hélas ! Encore une fois, c'est le principe de la tartine beurrée qui prévaudra.

Pour préparer le terrain – et la tromperie ultime est astucieuse, il faut le reconnaître –, Lovesey voudrait que vous vous jouiez des mauvais tours à vous-même, le dernier d'entre eux étant assez ridicule et grandiose pour attirer la presse. Ou, sinon la presse, au moins la télé. D'accord, c'est malin et c'est là-dessus que repose, sinon le succès de votre entreprise, à tout le moins l'assurance que votre homicide vous vaudra assez de célébrité pour que vous puissiez prétendre à la gloire posthume. (Hélas encore, nous n'aurions jadis parlé que de notoriété.) Mais qu'en sera-t-il vraiment ?

A l'heure où, votre baleine gonflable étant arrimée ainsi qu'il convient à votre toit, l'intérieur de votre maison n'est déjà plus qu'un musée océanographique, je suis bien sûr, moi, qu'il arrivera quelque chose. Du genre : « On laisse tomber la nouvelle découverte en matière de fission nucléaire à bon marché ! Et aussi la séquence sur le remède qu'on vient de trouver pour le cancer ! Et encore le coup d'État nazi qui a flanqué le chancelier

Khol en l'air !... », s'écrie le directeur de l'information : « Y a la cousine germaine de la reine qui se tape des envies autour des ongles ! On me fait de la place pour les photos : on vire la baleine gonflable. » Et là, sur la chaîne BBC, l'image qui aurait dû vous montrer en train de scruter la lentille de la caméra vidéo avec, derrière vous, tout un fond de poissons tropicaux, disparaît au profit de 118 secondes de gros plan sur un médecin qui vous explique que si les royales envies sont rarement fatales, elles sont par contre, et toujours, très désagréables. Vous menez votre petite affaire en Amérique ? Remplacez la reine par Donald Trump ou autre et vous arriverez au même résultat, l'essentiel n'est pas là : il y aura toujours quelque chose pour que votre grosse plaisanterie ne passe pas à l'écran et que, du coup, vous ayez fait tout ça plus ou moins pour rien.

Votre épouse, me direz-vous, n'en serait toujours pas moins décédée. Peut-être. Mais pour ce qui est d'avoir hissé votre meurtre au niveau des plafonds de la chapelle Sixtine... Non, sans cette série de plaisanteries hautement médiatisées, tuer du monde à l'aide d'une seiche, ou de toute autre bestiole caoutchouteuse que Lovesey essaierait de vous fourguer, ne saurait faire de vous un assassin éternel. Votre forfait serait certes exotique, mais pas vraiment mémorable. Je vous mets au défi de me dire le nom du monsieur qui, il y a quelques années de ça, s'imagina de zigouiller des gens en leur collant des serpents dans leurs boîtes aux lettres, et même, tenez, de me dire comment s'appelaient les deux kidnappeurs qui, un peu avant, finirent par enterrer un bus entier de jeunes étudiants quelque part en Californie. Non, non. Sage, Lovesey l'est assurément lorsqu'il vous répète qu'il faut absolument en passer par cette série de bouffonneries si l'on veut, dans notre monde de blasés, faire du coup de la Méduse dans le jacuzzi quelque chose dont on se souvienne un jour.

Et d'ailleurs, son idée présente aussi d'autres failles. Ne pas, pour autant, s'en aller y voir un manque d'imagination de sa part : c'est de son être même d'Européen qu'il s'agirait plutôt. Lovesey compte en effet sur une efficacité – savoir l'idée que les choses se produisent où, quand et comment il faut qu'elles se produisent – qui nous est, de ce côté-ci de l'Atlantique, totalement étrangère. Permettez que je vous en donne un seul exemple.

Pour préparer votre crime et vous assurer un alibi, Lovesey vous demande de procéder ainsi :

« (Les vols étant fréquents,) vous prenez celui de quinze heures, et retrouvez votre cité aux alentours de quatre heures moins le quart. » Sur quoi il vous laisse deux heures et quinze minutes pour vous rendre, à pied, au garage de Boylan, enfiler votre tenue de laborantin, filer jusqu'au Centre de recherches médicales, y piquer votre méduse, semer ici et là des indices compromettants, rentrer chez vous un peu après dix-sept heures dix afin d'être sûr et certain que la bonne sera déjà partie (alors que le principe de la tartine beurrée est bien évidemment tel que, non seulement elle ne sera pas partie, mais qu'en plus, ce jour-là justement, elle aura décidé de recevoir des amis dans votre living), planquer votre méduse dans un jacuzzi dont l'eau aura préalablement été portée à vingt-cinq degrés (alors que si, comme le mien, votre thermostat est du type caractériel, votre méduse a toutes les chances d'être cuite à point ou de finir congelée jusqu'à la léthargie la plus totale), vous grouiller de regagner la demeure de Boylan, y laisser derechef voiture et autres indices compromettants… et enfin, enfin, reprendre l'avion pour retrouver votre coin de pêche. « Il y a, précise-t-il même, un avion à dix-huit heures. » Et oui, tout ça semble s'agencer aussi agréablement que dans un horaire des chemins de fer britanniques.

Hélas, hélas, c'est justement là que réside le problème. La belle assurance de Lovesey se fonde sur l'usage que, là-bas, on fait ordinairement d'un système de transports où avions, trains, voire autobus, tout part et arrive à l'heure prévue. Or, vous et moi qui sommes de vieux routiers des transports en commun US, savons bien à quoi nous en tenir sur ce point. Au moment même où je vous écris ces lignes, l'Open de tennis est en train de se dérouler à Flushing Meadows, endroit qui, je crois, se trouve aux environs de l'aéroport de New York La Guardia. Fat comme c'est pas permis, le bonhomme qui vient d'annoncer la nouvelle à la télévision a même déclaré que, cette année, joueurs et public n'auraient plus à supporter le bruit infernal des avions déchirant le ciel. Il semblerait que, grand fan du tennis lui aussi, le maire de New York ait exigé que les avions de ligne empruntent un autre itinéraire. Je ne signale pas la chose pour faire remarquer à Sarah et à Peter que, malgré nos prétentions démocratiques, nous avons, nous aussi, nos classes privilégiées, mais pour bien vous faire comprendre que si, afin de vous assurer un alibi, vous aviez, ce jour-là, décidé de partir de La Guardia, vous auriez eu toutes les chances de vous tortiller à n'en plus finir sur un de ces immondes sièges en plastique d'aéroport où des dizaines de milliers de gens attendent en vain qu'il se passe quelque chose. Tout votre plan aurait foiré parce que l'*establishment* aurait arrêté de ne pas déranger les petits enfants gâtés de la haute qui, sous l'œil attentif de nos élites, insultent les arbitres sur les courts.

Bien sûr, vous auriez pu vous débrouiller pour que votre assassinat ne tombe pas le jour où se déroulent ce genre d'événements. Mais soyons réaliste. L'indication « trois heures de l'après-midi » qui figure sur votre billet d'avion signifie uniquement que votre appareil ne décollera jamais *avant* cette heure-là. A quel moment le fera-t-il exactement, Dieu seul le sait. C'est ainsi qu'un jour j'eus tout le temps de nouer de solides amitiés en attendant le départ d'un avion à l'aéroport de Boise, État de l'Idaho : notre pilote refusait de nous faire monter à bord avant d'avoir obtenu l'autorisation d'atterrir à l'aéroport de Denver, qui est pourtant notoirement surchargé. Un autre jour encore, je lus assez de pages, ô combien ennuyeuses, du *Pendule de Foucault* pour sombrer dans un état proche de la catatonie avant que mon avion ne se décide enfin à quitter Chicago.

« Les vols étant fréquents, vous prenez celui de quinze heures, et retrouvez votre cité aux alentours de quatre heures moins le quart », vous dit Lovesey. Tu parles ! Avec un peu de chance, vous entrerez, peut-être, dans la phase attente aux environs de quatre heures dix, marquerez un point décisif à cinq heures cinq, obtiendrez l'autorisation de gagner la porte d'embarquement environ quatorze minutes plus tard, et arriverez effectivement au terminal à cinq heures trente-deux. Et lorsque enfin vous vous retrouverez au bas de l'escalier et découvrirez que vos bagages n'ont pas suivi, il ne vous restera plus guère de temps pour remonter votre escalier à toute allure et tenter d'attraper le vol de six heures qui, lui, vous ramènera à votre petit coin de pêche.

Mais même dans ce cas, vous ruer ainsi ne servirait à rien : l'écran vidéo vous apprendra en effet que votre vol de six heures a, de fait, pris une bonne demi-heure de retard.

Bon, d'accord, et Lawrence Block, me direz-vous. Son plan est tout aussi astucieux que ceux de Lovesey et de Caudwell et, américain comme nous, l'auteur connaît en plus parfaitement nos problèmes. Oui, c'est vrai : sa solution est rusée et, à première vue, paraît satisfaire toutes vos exigences.

Mais justement : il ne s'agit guère que d'apparences. Attention, cher client potentiel : il faut le relire, ce M. Block. Pour remarquer aussitôt la subtilité de ses intrigues : dans l'illustre cohorte des auteurs de romans policiers, Lawrence Block est considéré comme un intellectuel, comme quelqu'un qui ne supporte pas aisément la compagnie des sots. Et, le ton qu'il emploie dans sa lettre est assez clair, c'est bien pour un sot qu'il vous prend. Il vous méprise, oui. Il se joue de vous. Il vous mène droit au désastre.

Le plan qu'il vous suggère, soit : une série de meurtres à forte signature et point culminant qui coince définitivement votre Blazes, est d'un attrait certain. Même si, comme vous m'en informez maintenant, votre épouse transporte toujours une bombe lacrymogène dans son sac, j'ai donc bien peur que vous ne reveniez à sa solution. (Pour ce faire, vous pourriez, par exemple, piquer la bombe de votre épouse quand celle-ci n'est pas là, en vider le lacrymogène sur les cafards qui se promènent sans doute chez vous et la remettre dans son sac.)

Mais... surtout, n'allez pas succomber à cette tentation. Que je vous dise pourquoi.

Dans l'*Albuquerque Journal* d'hier, on rapporte certains incidents qui se seraient produits à Philadelphie. Sur une période de huit mois, huit femmes auraient disparu dans divers bars de la ville et, plus tard, été retrouvées mortes, la presse locale en concluant aussitôt à la présence possible d'un *serial killer* dans les environs. Mais voilà : les policiers du lieu se montrent sceptiques. Pourquoi ? Parce que, contrairement au sentiment que Block voudrait vous inculquer, pareils agissements n'ayant rien que de très routinier, il n'est pas du tout impossible que ces huit assassinats aient été perpétrés par huit meurtriers différents... ou un seul travaillant d'arrache-pied.

Pourquoi vous raconté-je tout ça ? Parce que nous ne sommes pas en Angleterre, où le meurtre est rare, voire adulé et considéré comme digne d'une attention toute particulière. Ne pas s'en tenir à cinq assassinats ? Monter jusqu'à huit ? dix-huit ? et même quatre-vingts pour être sûr que la police enfin le remarque si, statistiquement parlant, rien d'extraordinaire ne s'est produit ? Allons. Ne pas oublier non plus qu'à vous répéter ainsi, vous augmentez quand même le risque de vous retrouver un jour en face d'une grognasse qui aura des envies tout aussi meurtrières que les vôtres et pourrait bien, elle, serrer quelque chose de nettement plus dangereux qu'une bombe lacrymogène dans sa main.

Je vous accorde que Dame Agatha Christie s'est, avec grand succès, servie de cette idée dans son *ABC contre Poirot* et que cette œuvre est devenue un classique. Mais cela se passait dans la douce Angleterre – et en 1936, douce année s'il en fut. A telle enseigne même que lorsque, une génération après, il voulut reprendre ce stratagème dans l'une de ses enquêtes policières, Ed McBain lui-même fut contraint de beaucoup arranger son scénario pour que ça passe auprès de ses lecteurs américains.

Résumons-nous : on laisse tomber Block.

Ce qui nous amène au très distingué Donald Westlake qui, lui, vous suggère de vous créer un double afin de vous assurer un alibi. Très malin. Si simple même que ça pourrait marcher si, hélas et encore une fois, le principe de la tartine beurrée, toujours lui, ne s'appliquait pas aussi à son idée et à sa fumeuse histoire de passe de motel.

Et d'un, il faut arriver à ce que Blazes Boylan tire quand même un coup de pistolet à votre club. Et d'après la description que vous m'en faites, ce monsieur serait plutôt du genre à faire la grimace en voyant une arme à feu. Et même s'il est peut-être vrai que, comme l'affirme

Donald Westlake, « psychologiquement parlant » il ne saurait refuser de s'affilier à votre club si vous le parrainez, votre Boylan pourrait bien, et tout aussi « psychologiquement parlant », repousser à n'en plus finir le moment où il lui faudrait appuyer sur la détente. En temps ordinaire, pareils atermoiements et petits jeux de traîne-la-patte ne feraient guère qu'irriter, mais quand on considère que l'exécution de votre meurtre dépend du moment où ce M. Boylan voudra bien se mettre de la poudre à canon sur les doigts, cela devient un vrai problème.

– Pas moyen aujourd'hui, mon ami, vous dira-t-il. J'ai un match de handball avec Roger.

Ou alors :

– Désolé, mais j'ai un peu mal à la tête, ce matin. Le bruit des détonations n'arrangerait rien.

Je vois assez bien le jour où, après avoir avalé mille et une excuses de ce genre, vous finirez par décider que c'est votre ami qui doit y passer au lieu de votre femme.

Mais soit : admettons que vous arrivez à lui faire tirer son coup de tromblon. *Dixit* alors M. Westlake : « ... (cela), vous le sentez déjà, aura pour résultat que, le jour que vous aurez choisi, les analyses du laboratoire de balistique démontreront *forcément* (c'est Westlake qui souligne) que Blazes s'est effectivement servi de son arme. » Tiens donc ! Je viens justement de lire un article où on raconte pourtant comment une femme a décidé de porter plainte contre un laboratoire d'analyses médicales qui, opération nettement plus simple et ne permettant guère de se tromper, avait néanmoins réussi à se gourer dans la détermination de tous les groupes sanguins des membres de sa famille.

Il se peut, et même, c'est probable, que les résultats de vos tests fassent apparaître des traces de poudre. Disons que rien ne tourne mal ce jour-là : fait inhabituel, le laborantin n'est pas saoul et, ses cendres de cigare ne dégringolant pas outre mesure dans la solution idoine, il arrive même à certaines conclusions qu'il ne rend pas caduques en sortant le mauvais flacon de produits chimiques de son armoire. Le principe de la tartine beurrée n'a pas fonctionné et, oui, tout marche comme prévu. Mais moi, vous savez… tout ce qui est *probable* quand on joue sa vie là-dessus…

Sans compter que le facteur malchance n'est pas ce qu'il y a de pire dans son plan. Dès après que vous avez collé votre poudre d'arme à feu sur la peau de votre ami, tout doit se dérouler selon un minutage très serré. A chaque instant qui passe, peau naturellement grasse, gouttes de sueur et autres frictions, c'est tout qui conspire à réduire ces taches de poudre et les chances qu'on a de les retrouver sur le coupable. Ne parlons pas de la douche ou du simple fait que votre Blazes pourrait décider de se laver les mains. Non : dès que Boylan cesse de jouer l'évitement et tire enfin son coup de pétoire, vous êtes à la bourre. Et ça, c'est dangereux.

Ce qui nous amène au coup de l'hôtel et de la chambre 1507.

Il y a longtemps que la réputation de M. Westlake est établie chez les amateurs de romans policiers. Cela doit même faire une paie que, horrible épreuve s'il en est pour le caractère, les commerciaux de sa boîte d'édition ne l'envoient plus signer ses livres en province. C'est sans doute pour cela que, s'il se rappelle bien qu'un hôtel comportant une chambre 1507 ne saurait être petit, il semble avoir tout oublié de ce qu'il est advenu de l'entité clé dans ces établissements monstrueux. Mais nous autres qui devons toujours supporter ces tribulations à vous engourdir à jamais le cerveau savons bien, par contre, que la fameuse chambre 1507 ne s'ouvre plus aujourd'hui à l'aide d'une clé. Comme si la clé de chambre d'hôtel ne comptait pas, elle aussi, parmi les victimes du progrès qui, en Amérique, ne cesse de bouleverser le crime et la technologie ! Non, non : de nos jours, c'est un petit rectangle en plastique dur qui l'ouvre, votre chambre 1507. Et c'est le client qui doit lui-même le glisser dans la fente adéquate et ce n'est que lorsque, enfin, il a réussi à l'y insérer, et dans le bon sens et avec l'autorité suffisante, que, quelque chose faisant *click*, la serrure se débloque. Bref, il n'est plus de passe dont faire une empreinte avec de la pâte à modeler aux fins de reproduction ultérieure. Ni non plus rien d'utile à garder ledit petit rectangle de plastique dur après qu'on est entré dans cette chambre 1507 et qu'on l'a examinée sous tous ses angles. Les directeurs d'hôtel qui s'efforcent toujours d'avoir une longueur d'avance sur les truands de votre genre (et du genre Westlake) font, sachez-le, constamment changer les codes magnétiques de leurs serrures, la bande qui, aujourd'hui mardi, ouvre la chambre 1507 débloquant, ô surprise pour le cambrioleur, le pêne de la chambre 1384 le lendemain.

Vous pouvez sans doute compter sur nos compagnies

aériennes pour mener à bien la partie alibi du plan Westlake : aucun minutage serré n'est requis. (Je dis « sans doute » parce que certains de mes souvenirs personnels pourraient porter à penser le contraire. Je ne suis pas près d'oublier la nuit affligeante que, merci Delta Airlines, je passai à l'Holiday Inn de Dallas alors que j'aurais dû être bien au chaud dans mon pieu à Albuquerque. Ni non plus comment, sept minutes avant le début d'une séance de signatures dans une librairie de Denver, je tentai d'expliquer au patron de cet établissement qu'en fait, c'était de l'aéroport de Salt Lake City que je l'appelais. Ni encore… etc., etc.) Mais… l'alibi lui-même. Du plus pur génie. Je regrette sincèrement de ne pas en avoir eu l'idée moi-même, et entends bien la plagier dès que, assez de temps ayant passé, mon emprunt sera moins évident. Cela étant, cet alibi ne vous servira à rien si vous ne pouvez pas d'abord pénétrer dans la chambre afin d'y commettre votre ignoble forfait.

Que j'ergote encore un peu. Suivons donc les conseils de Westlake : vous tirez deux fois sur votre femme, obligez Boylan à se traîner par terre, puis semblez soudain retrouver vos esprits lorsque votre ami vous demande de lui donner le pistolet.

Citation : « Vous (le) lui tendez, vous lui balancez une bonne giclée de gaz lacrymogène dans la figure, vous laissez tomber la bombe près du cadavre de votre femme… et vous partez… Déguisé en petite vieille en fauteuil roulant à moteur », précise-t-il même. Toutes choses qui sont belles et bonnes, mais… comme il se trouve justement qu'alors même que je vous écris, j'ai du mal à ne pas me gratter l'endroit du menton où la peau me brûle, ma bombe rasante Burma Shave (qui fonctionne sur le même principe que la bombe Mace Spray dont vous parle Westlake) ayant refusé de me livrer sa crème lorsque, ce matin, j'appuyai sur son petit bouton, voici ce que pourrait donner le scénario de la chambre 1507 en se dégradant un rien :

« Vous lui tendez l'arme, appuyez sur le bouton de la bombe et, quand rien ne se produit, la secouez comme un malade, Boylan en profitant aussitôt pour vous balancer un pruneau dans le gésier. Vous laissez tomber la bombe lacrymogène près du cadavre de votre femme et, déguisé en suspect numéro un qu'on expédie en prison, quittez les lieux sur un brancard. »

Avant-dernier conseil : évitez de compter sur les gaz lacrymogènes tant que vous ne pourrez pas vous en servir à l'aide d'un applicateur à boule. Et n'oubliez jamais, mais alors : jamais, que tout ce qui peut tourner mal tournera mal.

Dernier conseil : vous adoptez mon plan, sans aucune réserve, d'abord ça. Et vous ne vous dorlotez pas en évitant la première phase qui consiste à dire aux poulets que, oui, vous avez noyé votre épouse. Il est essentiel que les flics veuillent tout de suite vous prouver que vous avez tort. Deuxième point : vous prenez très au sérieux la feuille de papier ci-jointe – elle contient la liste des services que je vous ai rendus –, et vous m'envoyez le tonnage nécessaire de billets de vingt dollars usagés, *via* United Parcel Service, Federal Express ou toute autre société d'expédition pourvu qu'elle n'ait, de près ou de loin, aucun rapport avec la poste officielle. Celle-ci est en effet devenue aussi peu fiable que les bombes lacrymogènes, compagnies aériennes et autres laboratoires d'analyses dont vous me parlez. Qui plus est, je ne vois aucune raison de mêler les autorités fédérales à nos petites affaires.

Et je vous recommande de régler promptement – et même : immédiatement – ma facture. Pourquoi tant de hâte ? Parce que, en lisant votre première lettre, celle où vous me demandiez de vous aider dans votre criminelle entreprise, j'ai remarqué que le papier sur lequel vous m'écriviez semblait un peu plus fragile que celui que j'aurais été en droit de recevoir. Cassant, qu'il était, même. Un rien décoloré par endroits. Vieilli avant l'âge. Bref, il y avait quelque chose qui clochait. Je me ruai sur ma photocopieuse Xerox (qui marchait, ce sont des choses qui arrivent) et en fis plusieurs copies, toutes bien claires, en prenant grand soin que la dernière page, celle où se trouve votre signature, soit parfaitement lisible. Et procédai de la même manière pour votre deuxième épître, qui est tout aussi compromettante que la première, je vous le signale. Comme vous l'aviez prévu, ou presque, vos deux lettres se sont émiettées dans mon meuble classeur et n'y sont plus que cendres, ou pas loin. Mais j'en ai assez de copies pour les flics si jamais vous décidiez d'appliquer mon plan et de ne pas me régler – ou pour votre épouse si jamais le courage venait à vous manquer.

Astucieux d'avoir ainsi passé vos lettres à l'acide. Mais voilà : pour une fois, la poste a fait vite.

Ce qui pouvait foirer a foiré.

Deuxième réponse de Peter Lovesey

Monsieur,

Votre lettre me laisse pantois. Votre femme respire toujours.

Et le pourquoi m'en échappe.

Et j'attendais mon règlement, vous savez : mon chèque d'un million de dollars ? Dire que je suis déçu serait un euphémisme. Je suis furieux, oui. J'en bave de la gueule. Je vous refile un chef-d'œuvre – la Méduse dans le jacuzzi –, et qu'est-ce que vous en faites ? Vous en reconnaissez toute la beauté et lui assurez une place d'honneur au Panthéon du crime ? Non. Vous le laissez se couvrir de poussière, vous le négligez et ne lui accordez même pas un regard. Pire, vous trahissez mon génie. Vous communiquez mon plan sans failles à un vulgaire ramassis d'auteurs de romans policiers.

J'ai d'ailleurs appris que le prochain livre de Lawrence Block allait s'intituler : *Le Grand Voleur de méduses*. Donald E. Westlake, lui, mettrait la dernière main à un *Dortmunder et le Frelon des mers*. Sarah Caudwell, qui écrit moins vite, serait, de son côté, en train de tourner un incipit avec baignoire à remous et délits criminels à la clé. Quant à Tony Hillerman… il prétend maintenant qu'un *medecine man* lui aurait avoué qu'en fait toutes les peintures sur sable des Navajos auraient la méduse pour motif référentiel. Et que son prochain opus, *Le Dard celé*, se présenterait avec une méduse sur la couverture.

Tous ces gens vont d'ailleurs bientôt recevoir la visite de mon avocat.

Quant à vous, monsieur, je ne saurais vous dire la jubilation qui me viendrait de pouvoir un jour vous précipiter dans votre jacuzzi et d'y jeter un de vos crabes géants. Vous ne méritiez pas que je vous prodigue des conseils aussi brillants. Mais vous avez quand même mis en œuvre une partie de mon plan. Comme je vous le suggérais, vous vous êtes fait faire un double des clés de Boylan. Joli travail. Et il y a plus : le hasard a bien voulu que vous soyez grand amateur de pêche (ce que j'aurais dû deviner en lisant votre prose auto-encensatoire), et avez fait ce qu'il fallait pour qu'on n'ignore rien de votre passion pour ce sport. Il est en outre assez clair que mes plaisanteries piscicoles vous ont beaucoup diverti. Vos crabes, je dois le reconnaître, amendent heureusement mon plan et je suis prêt à parier que les médias ont abondamment couvert votre plaisanterie. Comme quoi, vous aviez enclenché la vitesse supérieure et fonciez vers le succès.

Et voilà que tout soudain vous laissez tomber pour vous enfoncer dans les chemins détournés de M. Hillerman ? Le champignon ? Non mais, hé ! Et où est l'allitération dans tout ça ? *Murder with Mushrooms ?*

Voilà qui me semble bien bas. Il y a quarante ans de ça, feu John Creasy, l'homme qui fonda la Crime Writers' Association, dont je suis présentement le président, publiait déjà un livre portant ce titre – mais était le premier à reconnaître que se casser la tête à chercher un titre original constituait une perte de temps. C'est vrai qu'avec les 500 bouquins qu'il devait écrire par la suite… Non, comme je croyais pourtant vous l'avoir suffisamment expliqué dans ma première lettre, on ne saurait vouloir l'immortalité en commettant un crime qui ne soit pas réductible à quelque locution qui frappe tellement l'esprit qu'elle en devient inoubliable. Le Flotteur de femmes était bien. Et, avec son tour joliment post-moderne, la Méduse dans le jacuzzi n'était pas mal non plus.

Vous me dites avoir craqué pour le mot *Amanita*. C'est vrai que ce terme ne manque pas d'un certain charme, dans le genre oxygène raréfié, s'entend, mais jamais il ne passera dans le langage courant et, partant, ne pourra vous apporter la gloire posthume que M. Hillerman vous promet. Prenez garde à lui : M. Hillerman est un tendre. En fait, il ne vous a pas dit la vérité, savoir que vous êtes mégalomane – je me cite. Et encore un type qui est toujours prêt à « se vendre au-dessous de sa valeur », pour reprendre l'expression de M. Westlake, et un être « aussi inoffensif qu'inefficace, l'idéal même du mari-joujou, le parfait Ken à sa Barbie », pour parler comme M. Block. Et donc : si Tony ne s'est pas montré des plus francs sur les défauts qui sont les vôtres, comment pourriez-vous, vous, avoir confiance dans ses petites recettes assassines ?

Le plat qu'il vous sert est, en plus, assez fade, voire presque aussi répugnant que le festin que vous propose M. Block – dont je traiterai plus tard. A le faire avaler comme il vous le demande, vous tueriez au moins dix-huit gourmets du Yuppie Miam Miam, ce nombre, au moins M. Hillerman vous l'assure-t-il assez lugubrement, pouvant, bien sûr, être plus élevé. Ne s'agirait-il pas là d'un exemple de ce que vous autres, Américains, appelez l'*overkill*[1] ? C'était quand même bien de tuer seulement votre épouse qu'il était question, pas de zigouiller tout le quartier, non ? Sachez que moi, à cette échelle, le massacre me chagrine. Et si, parmi les victimes, il s'en était trouvé certaines pour lire mes œuvres, hein ?

Cela dit, je lui tire mon chapeau, à ce M. Hillerman : brillante, son idée de bluffer la police en reconnaissant son forfait d'entrée de jeu. Inverser pareillement les rôles est plaisant. S'il s'était contenté de chercher le moyen d'empoisonner votre épouse sans, du même coup, assassiner la moitié de vos concitoyens, j'aurais, peut-être, consenti à le gratifier d'un hochement de tête admiratif. Mais là... Le problème là-dedans, c'est que vos flics vont tout de suite vouloir savoir comment les autres victimes ont péri – bref, qu'ils vont beaucoup s'intéresser à la manière dont vous avez fait atterrir vos champignons vénéneux dans la vitrine dudit Yuppie Miam Miam. Ne pas oublier qu'en plus du vôtre, ils ont quand même dix-sept crimes à résoudre. Et que moi, je les verrais assez

1. Ou sursaturation d'un objectif militaire *(NdT)*.

bien interroger tous les clients et employés qui se trouvaient au restaurant ce jour-là, et encore vouloir qu'on leur dise les noms de tous les gens qui, toujours ce jour-là, sont passés dans cet établissement. A supposer même que personne ne vous ait surpris en train de glisser vos champignons dans la vitrine, il y aura toujours un quidam pour vous avoir vu acheter vos trucs et ainsi vous procurer la facture que, plus tard, vous avez fourrée dans la poche de votre ami. C'est d'un resto de quartier qu'il s'agit, et vous y êtes connu.

Résultat, c'est raté.

On laisse tomber.

Étant donné que j'ai déjà parlé de l'ordonnance de Lawrence Block, débarrassons-nous-en tout de suite. Je trouve sa méthode presque aussi dispendieuse que celle de M. Hillerman, et nettement plus salissante. Assassiner et mutiler toutes ces femmes dont le seul crime aurait été d'accepter de coucher avec vous ? Là encore, c'est de l'*overkill*, certes un peu dégraissé, si vous me pardonnez ce qualificatif, mais rien de plus. Quatre séances d'équarrissage pour qu'enfin on sache bien que votre Blazes est un assassin à répétition ? Ce n'est peut-être pas du meurtre à l'aveuglette pour M. Block, mais ça fait quand même cher en vies humaines (quatre lectrices de moins, ne cessé-je de me dire). Quant à se monter une pareille collection de souvenirs, il faut être passablement psychopathe pour y arriver. Et vous, je ne vous vois pas trop dans ce rôle, même si, en passant, je vous ai peut-être jeté cette épithète à la figure.

Mais… soyons généreux. La méthode Lawrence Block

a un côté grand guignol qui, va savoir, vous vaudrait peut-être de jouer les notes de bas de page dans quelque livre d'histoire. Sang et estomac, tout y est, mais ça manque de poésie. Sans vouloir trop pousser sur le thème, comment pourriez-vous jamais résumer tout ça en quelques mots inoubliables ? Car pourquoi donc croyez-vous qu'un siècle après les faits, on se rappelle encore les crimes de Jack l'Éventreur ? Ce n'est certes pas à cause de l'aspect *éventrations* de l'affaire, ainsi que M. Block voudrait vous le faire croire. Non, non : c'est seulement parce que l'expression « Jack l'Éventreur », c'est génial. Inspiré, même. Les gens qui se sont spécialisés dans l'étude de ses meurtres (savoir : les « éventrationnistes », ainsi qu'ils aiment à se faire appeler) font remarquer que sur les milliers de lettres qui parvinrent à la police et aux journaux en l'an 1888, Jack n'en aurait vraiment écrit que trois, pas plus. Ces documents contiennent en effet des renseignements que seul lui pouvait connaître. C'est dans celle du 25 septembre 1888 qu'apparaît pour la première fois l'expression « Jack l'Éventreur ». Avant cette date, la presse parle seulement d'un certain « Tablier de cuir ». Banal, non ? La deuxième lettre de Jack l'Éventreur fut postée le 30 septembre. La troisième, à laquelle l'expéditeur avait joint un morceau de rein de sa dernière victime, n'est pas signée, mais porte la mention « Enfer » en guise d'adresse de retour. Brillantissime ! Il ne fait aucun doute que Jack l'Éventreur était un écrivain-né. Lui aurait-on attribué une Dague d'Or ou un Edgar après l'envoi de sa première lettre que toutes les autres victimes auraient été épargnées.

Ce qui fait qu'il vaudrait mieux penser, et tout de suite, à un nom évocateur et bien sulfureux si vous voulez qu'on se souvienne à jamais de vous comme d'un grand *serial killer*. Le marché est saturé, ne l'oublions pas. L'Étrangleur de Boston, l'Éventreur du Yorkshire, le Tueur du Zodiaque, on fait ce qu'on peut.

D'un point de vue plus pratique, je doute fort que vous, ou un autre d'ailleurs, puissiez jamais commettre quatre crimes avec décapitation sans laisser aucune trace susceptible de brouiller le sens des indices que vous voulez semer à droite et à gauche. Les médecins légistes sont assez futés quand il s'agit de ramasser des bouts de cheveux et autres lambeaux de chair tombés par terre. Sans compter que l'analyse à l'ADN est en progrès constant.

Non, je ne vous vois pas en Éventreur réincarné.

Désolé.

Passons aux extravagances calédoniennes de Miss Caudwell. Beaucoup de choses dignes d'éloges dans tout ça : les tartans, les bijoux, le rougeoiement flatteur des chandelles et l'éclat glacial du *skene-dhu*. Enfin du solide, me dis-je alors, en commençant à lire sa réponse, du solide et du gagnant. C'est que nous autres, Brits, avons un bien des plus précieux : notre passé vous fascine. En important votre crime en Écosse, non seulement Sarah Caudwell vous fournissait un bon prétexte, mais contribuait, en plus, au développement du tourisme britannique. Édimbourg pendant le Festival ! Son château tout là-haut perché sur le granite ! Prince Street ! Le Scott Memorial ! Holyrood Palace ! Quel décor !

Mais avant de réserver vos places d'avion, examinez

donc son scénario de plus près. Vous y demanderait-on de le mettre en œuvre sur fond de remparts vers lesquels monterait la plainte lugubre d'une cornemuse ? Au palais d'Holyrood, alors ? Celui d'où Mary, reine d'Écosse, vit son malheureux secrétaire, Rizzio, se faire éjecter pour ensuite succomber à cinquante-sept coups de poignard ? Vous suggérerait-on même seulement d'accomplir votre forfait sur les marches du 11 Picardy Place où naquit Sir Arthur Conan Doyle ?

Non. On vous dit de faire ça dans une chambre d'hôtel.

Ah, la redescente ! Au fond, une fois qu'on lui ôte ses tartanesques accessoires, le crime de Sarah Caudwell se déroule dans un lieu tout aussi minable que ceux qui semblent avoir retenu l'attention de MM. Block et Westlake – savoir une chambre d'hôtel numérotée avec une salle de bain attenante, le tout équipé d'une bouilloire électrique et orné d'une reproduction de tableau abstrait. Vous avez fait quatre mille cinq cents kilomètres en avion et vous vous retrouvez dans la chambre 1507 du Holiday Inn d'Édimbourg !

Et en plus, l'affaire est, là encore, très salissante. Peut-être pas autant que les séances d'équarrissage répétées chères à M. Block, mais salissante quand même. Il se pourrait que vous ayez à nettoyer vos manchettes, vous dit Sarah… après vous avoir mis en grande tenue écossaise, avec cape en drap bariolé, chemise blanche, jabot, *sporran*[1], kilt, chaussettes montantes et souliers vernis ! Et ce, alors même que vous n'y êtes évidemment pas

1. Aumônière en cuir brut qui pend sur le devant du kilt *(NdT)*.

habitué ! Habillé de la sorte, le Bonnie Prince Charlie que vous serez devenu sera-t-il seulement capable de poignarder dans les règles, puis de porter le corps jusqu'au lit et de glisser le magnéto dans les plis de la robe de madame sans jamais se coller du sang sur les vêtements ? Et après, dans le court instant que Sarah vous alloue avant qu'on ne s'inquiète de votre absence, vous auriez, en plus, la force de vous laver les mains – à l'eau froide –, de vous regarder dans une glace et d'enfin descendre retrouver vos invités et vous mêler à eux comme si de rien n'était ? Avec votre cape bien serrée autour de vous afin de masquer toutes les taches que vous auriez pu vous faire ? Ça, vous risquez fort d'avoir l'air passablement ridicule dans votre hôtel avec radiateurs de chauffage central un peu partout !

Zéro, tout ça ! Navré, mais le petit numéro écossais ne vaut rien.

Ce qui ne vous laisse plus que le choix entre la solution Westlake et la mienne. Donald E. Westlake, je dois le reconnaître, est assez brillant. Mais si je suis contraint de le reconnaître, c'est parce que son plan est quasiment un plagiat du mien. Ne saurais-je pas que ce monsieur écrit sa prose sur une Smith Corona portative qui a trente ans d'âge, j'en croirais presque qu'il est arrivé à entrer dans mon ordinateur. Car examinons les faits.

Après vous avoir asséné son analyse magistrale des défauts qui sont les vôtres, et vous avoir prouvé qu'au fond, la victime que vous visez en premier, c'est Blazes Boylan – ce qui, moi, me convainc entièrement –, voici ce qu'il vous suggère en substance :

1. Vous vous choisissez un sport de plein air et encouragez Blazes à le pratiquer avec vous. Chez Westlake, ce sport, c'est le tir au fusil, chez moi, c'est la pêche.

2. Vous vous débrouillez pour avoir un double de la clé de la chambre 1507. Sur quoi, Westlake vous propose des options de remplacement A, B et C, dont mon idée n'est, au fond, qu'une variante, le but à atteindre étant toujours le même.

3. Afin de vous préparer un alibi pour le jour du meurtre, vous filez quelque part en avion, puis, votre affaire faite, vous revenez, toujours secrètement, chez vous en prenant un autre avion. Westlake ou Lovesey, le stratagème est identique.

Remarquable, non ? Aurait-on affaire à la rencontre de deux intelligences supérieures œuvrant dans le même dessein ? Ou bien M. Westlake aurait-il engagé un espion à son service ? Ou bien alors ?... Serais-je, moi, en train de sombrer dans la paranoïa ?

Mais le reste de son plan déçoit beaucoup. Bon, oui, c'est vrai qu'il marchera peut-être (le coup du pistolet dans la main gantée après la giclée de gaz lacrymogène, je veux bien), mais où est l'Art qui seul pourrait muer votre assassinat en chef-d'œuvre ? Où sont les détails foisonnants, où est le sens du grand guignol qui dit, et vraiment, la veine baroque ? Comme vous le faites vous-même remarquer dans votre première lettre, le meurtre parfait n'est pas difficile. Et c'est pour cela que, moins qu'un meurtre parfait, c'est le « chef-d'œuvre parfait » que vous voulez... « Je souhaite, dites-vous, commettre un assassinat tellement beau dans son agencement et ingénieux dans sa réalisation que vraiment il puisse aspirer au grand art… un meurtre qui soit baroque dans son concept et d'une richesse qui le marque jusque dans ses moindres détails. »

Westlake, lui, ne vous suggère jamais qu'un énième crime dans une chambre d'hôtel sordide.

Dieu m'est témoin que j'ai pourtant essayé d'être généreux avec mes confrères. Mais même à souligner les points forts de leurs scénarios, non, je ne puis, en mon âme et conscience, me résoudre à vous dire de suivre leurs conseils. Parmi ces plans, deux sont certes, à mon avis au moins, assez hauts en couleur – mais fort dangereux : jamais vous ne vous en tirerez en les appliquant. Les deux autres sont intéressants du point de vue construction, mais décevants côté exécution.

Passons-les en revue et voyons les armes qu'on nous propose. Des champignons vénéneux chez Tony Hillerman ; un surin chez Larry Block, un *skene-dhu* chez Sarah Caudwell et un revolver chez Donald E. Westlake. Et maintenant moi et mon *Chironex fleckeri*… mon frelon des mers ! La cause est entendue.

Qu'a-t-on du côté construction ? La visite au vieux Dr Dottage, le petit coup en douce au Yuppie Miam Miam et l'exemplaire d'*ABC contre Poirot* qu'on laisse traîner sur l'oreiller de Boylan ? La décapitation répétée et la distribution de poils pubiens dans les larges masses ? Le voyage en Écosse, la fête à n'en plus finir et le coup des dagues ? La résurrection du dénommé Minor DeMortis, les leçons de tir et la surveillance de la chambre 1507 ?

Mais, et moi, qu'est-ce que je vous donne ? Un requin derrière la porte d'entrée, une maison remplie d'aquariums exotiques, une baleine sur le toit et une virée à la Foire aux chocolats. Comme si ce n'étaient pas là des concepts qui vous projettent le meurtre dans une ère résolument post-moderne ! Mais c'est en plein surréalisme, que nous sommes, Monsieur ! Un seul flic capable de même seulement saisir de quoi il est question dans tout cela ?

Dernier élément, et il est crucial, le meurtre proprement dit. Le procédé que je vous propose est bizarre, unique et baroque, oui – mais il est sûr. Vous vous trouverez à 200 kilomètres de chez vous lorsque madame rendra son dernier soupir. Inutile de tirer son cadavre jusqu'à la salle de bain, inutile d'en découper des rondelles avant que Blazes ne se pointe sur les lieux du crime, inutile de jouer les Lady Macbeth en train d'ôter ses taches de sang sur ses mains, inutile, bien sûr, de s'en aller tuer un des amants avant de balancer une lacrymo dans la tête de l'autre : ma méduse se charge de tout. Et ne me dites pas que côté choc, mon meurtre ne battrait pas tous les autres.

J'en ai presque terminé. Mon analyse est complète et, que voulez-vous ? c'est le frelon des mers qui l'emporte, et de loin. Cela étant, je dois néanmoins vous signaler que je ne vous fais absolument pas confiance. Votre deuxième lettre me le confirme, vous n'êtes qu'un toutouilleux, qu'un infirme du propos final. Quelque chose me dit, et j'en ai l'estomac qui se noue, que vous êtes peut-être même du genre à faire dans le compromis sans principe et vous en aller mélanger tous nos avis.

Surtout pas ça.

Que je vous dise la vision qui me hante. Vous êtes là, en grande tenue écossaise et – faux lauréat du prix Nobel, mais vrai poivrot –, insipide Weldon McWeinie que vous êtes devenu, votre *sporran* bourré de poils pubiens et de petits champignons, une bombe lacrymo dans une main et un pistolet dans l'autre, vous tournicotez confusément autour de votre jacuzzi, où flottent, ignobles et mesquins, des morceaux de votre femme haïe, bien sûr, mais aussi des lambeaux de Blazes Boylan, de George et de Ben, sans parler de chairs diverses appartenant à deux ou trois inspecteurs de la Criminelle et à vos infâmes crabes géants du Japon.

Restons ferme, s'il vous plaît. Pas de compromis. C'est tout ou rien, et si c'est tout, ce ne peut être que ma Méduse dans le jacuzzi. Pensons encore une fois à Lady Macbeth et, avec elle, écrions-nous : « Tends céans tout ton courage et point tu n'échoucras. »

Et, gentil, gentil, on m'envoie mon chèque par retour du courrier.

Deuxième réponse de Sarah Caudwell

Mon cher Tim,

Je commence à avoir des doutes. Je n'ouvre plus le journal qu'avec une appréhension grandissante. C'est tous les jours que je m'attends à y apprendre que x femmes ont été retrouvées mortes dans leur baignoire, piquées par des méduses, à moins qu'à y regarder de plus près on ne s'aperçoive qu'au fond, non, elles ont succombé à un empoisonnement par les champignons. Peu après, on nous rapportera qu'un incident de même nature s'est produit à Édimbourg, le mari se trouvant, à ce moment-là, en galante compagnie avec une mystérieuse Diana.

Non, Tim, rien ne va plus. Vous êtes, je le vois bien, un novice dans l'art du meurtre et de cet état montrez aussi bien les vertus que les défauts. A être touché par votre enthousiasme, on ne devrait sans doute pas vous tancer trop durement pour le manque de discernement qui, il faut le croire, accompagne inévitablement ce genre de syndrome. Cela dit, permettez néanmoins qu'ici je vous rappelle que c'est vous qui avez exprimé le désir ambitieux de ne pas être seulement un assassin, mais encore un artiste. Si vous voulez réussir, il va falloir, et absolument, résister à la tentation que vous avez d'enfourner tout ce qui vous séduit dans le chef-d'œuvre que vous entendez laisser à la postérité. Surtout réfléchir à la place et au rôle de chacun des éléments en présence et ne jamais perdre de vue l'ensemble.

C'est l'art de choisir qu'il va vous falloir apprendre, et par là j'entends et celui d'écarter les mauvaises idées et celui de rejeter les bonnes quand elles n'apportent rien à votre propos ultime. Le Parthénon et la cathédrale Saint-Paul sont l'un et l'autre de très beaux bâtiments, mais coiffer le Parthénon du dôme de Saint-Paul ne vous donnerait pas une bâtisse plus belle. Bref, il va falloir apprendre à ne pas trop en faire.

Dans leurs premières réponses, mes distingués collègues se sont montrés assez sévères avec vous et, j'en ai peur, ne me semblent pas très disposés à mettre la pédale douce dans leurs deuxièmes commentaires. Je répugne à vous plonger dans un désarroi plus grand encore en ajoutant à leurs reproches – comme vous, je n'aime pas blesser –, mais ma conscience m'interdit de vous laisser croire qu'ils auraient tort.

C'est, je le pense, M. Westlake qui, plus que tous les autres, aurait le droit de céder à l'agacement. Il pourrait très bien vous faire remarquer que c'est au prix d'un grand sacrifice – après tout, il aurait pu s'en servir dans son prochain roman – qu'il vous a donné un plan d'une grande beauté et d'une rare élégance et que vous, en vous abandonnant à un activisme irréfléchi et passablement égocentrique, vous en avez fait quelque chose de totalement inutilisable. Contre cette accusation, je ne vois hélas pas qu'il serait possible de vous défendre.

Examinons en effet, au cas où vous ne l'auriez pas sentie, ce qui fait la beauté de son projet. On commence par y analyser un problème assez simple, pour ne pas dire commun : M. X s'apprête à commettre un meurtre et a besoin d'un témoin qui lui fournira un solide alibi. Première solution possible : acheter quelqu'un qui est complètement étranger à l'affaire, quelqu'un qui n'a rien à voir avec la situation qui a donné naissance à l'envie de meurtre, et lui demander de produire un faux témoignage. Pareille solution, il est facile de le voir, n'a que peu de mérites artistiques, pour ne pas dire aucun : à la rapporter de manière exacte, ou apparemment telle, un bon journaliste n'arriverait, au mieux, qu'à susciter un intérêt poli chez son lecteur.

Mais c'est surtout en ce qu'il attente au principe même de l'économie artistique que ce choix est mauvais : introduire ainsi un personnage qui, en plus d'être étranger au drame, n'y aurait pour seule fonction que celle de fournir un alibi à l'assassin, non seulement serait coûteux, mais, débraillé, attenterait gravement aux règles de l'Art. On pourrait tenter d'y remédier en faisant de ce témoin quelqu'un qui, plus tard, jouerait un certain rôle dans la pièce – en en faisant, disons, et ce pour ne pas trop sombrer dans la banale évidence, la femme pour laquelle notre héros souhaite se débarrasser de son épouse. Ce serait, certes, un peu meilleur du point de vue économie de l'ensemble. Mais découvrir à la fin que cette dame a menti ne pouvant faire partie d'un plan calculé, susciter le grand frisson de la surprise deviendrait alors impossible.

Bref, nous n'avons toujours pas de péripétie – savoir, comme nous le rappelle Aristote, l'élément même qui est pourtant si essentiel à la cohésion dramatique véritable. Nous pourrions encore améliorer notre idée en celant les liens qui unissent le héros et cette femme et en faisant de celle-ci quelqu'un dont on doit attendre indifférence, voire hostilité, à l'endroit de l'homme qu'elle aime – disons, encore une fois par exemple, que cette dame est son inspectrice des impôts. Enfin nous commencerions à avoir quelques-uns des ingrédients nécessaires à l'établissement d'une intrigue satisfaisante.

Mais voyez maintenant combien la solution de M. Westlake est supérieure à cette idée de départ que nous avons pourtant déjà bien améliorée. Elle nous fournit notre alibi sans agrandir la distribution minimale nécessaire à l'accomplissement du drame. Il y a d'un côté l'assassin et de l'autre la victime, soit la quintessence même de l'économie artistique. Cette solution offre en plus l'avantage d'abuser son monde (j'entends par là tous ceux et toutes celles qui sont étrangers à l'affaire) non seulement sur les motivations et les traits de caractère d'un des deux personnages du drame, mais encore sur son existence même. Ainsi la voie est-elle ouverte à ce retournement magnifique qui, à la fin, nous fera apparaître l'entière vérité.

Et vous, que faites-vous de tout cela ? Malgré les conseils réfléchis et détaillés de M. Westlake (et moi, à vos actes, je ne vois pour l'instant qu'une seule raison : tiens, c'est amusant), vous vous donnez une femme pour alter ego ! Et vous ne voyez même pas que c'est là une idée fatale pour la réussite de votre projet.

Oui, fatale.

Que la solution de M. Westlake soit géniale ne doit pas pour autant nous empêcher de voir que, d'un point de vue pratique, son affaire est, comment dire ?... un rien hasardeuse ? Blazes Boylan assis sagement dans sa cellule alors qu'il vous a vu commettre votre forfait et sait donc parfaitement que votre alibi ne tient pas ? Boylan qui ne vocifère pas ? Boylan qui ne répète pas ses accusations à la police, à la presse et à ses avocats ? Si, malgré tout, ni les uns ni les autres ne se sentaient alors enclins à pousser un peu le témoin dans ses derniers retranchements, ce serait seulement parce qu'il ne leur viendrait même pas à l'idée que ledit témoin n'a aucune raison de leur mentir pour vous couvrir. Et vous, dans ce cas de figure, vous pensez vraiment qu'un homme d'affaires plutôt assommant peut être sérieusement remplacé par une belle jeune femme portant des chaussures plates à 500 dollars la paire ?

Échapperiez-vous sans dommage à l'indignation de M. Westlake que je ne vois pas comment vous pourriez éviter la colère de M. Lovesey. De fait, à moins que Peter ne découvre encore dans son dictionnaire des synonymes quelque épithète plus sanglante que celle de « crassouillard », je doute sérieusement qu'il se donne même seulement la peine de répondre à votre dernière lettre. Le ferait-il qu'à mon avis ce ne serait que dans l'espoir de vous voir lui régler l'énorme facture qu'apparemment il vous a envoyée.

C'est à l'incident des crabes géants que je fais ici allusion, mais… était-il vraiment besoin de le préciser ?

Commençons donc par le moins important là-dedans, savoir l'aspect pratique de votre coup : quelles mesures avez-vous réellement prises pour qu'à cette plaisanterie on ne voie qu'un seul responsable, j'ai nommé Boylan Blazes ? Aucune, si je ne me trompe. Et pourtant, il me semble bien que, dans sa première réponse, M. Lovesey ne ménage pas sa peine pour vous faire comprendre que l'inculpation de Boylan est capitale dans tous ces mauvais tours apparemment dirigés contre vous.

Même à donner dans l'optimisme, même à croire, soyons précis, que votre « combinard » n'ait pas eu vraiment conscience de qui vous étiez, votre petite plaisanterie n'aura eu pour seul mérite que celui de susciter un bref *frisson** d'excitation, mais… pacotille que tout cela. Sans compter que je suis, pour ma part, absolument incapable de donner dans l'optimisme : un individu qui exerce la profession de « combinard » ne peut pas ne pas prendre la précaution élémentaire qui consiste à savoir les noms et les adresses de tous ses clients et, plus grave, se mettra forcément à table si jamais il apprend que tel ou tel de ses chalands est impliqué dans une affaire criminelle d'importance.

Non, pareille incompétence et, qui plus est, aussi folâtre et délibérée que la vôtre, a quelque chose d'incroyable – j'en viendrais presque à souhaiter que vous ayez omis de me raconter d'autres incidents de cet ordre dans votre relation. Mais hélas ! je vous connais maintenant trop bien pour ne pas me douter de la modestie avec laquelle vous m'avez rapporté vos coups de génie. A être versés dans la psychologie, certains de mes collègues pourraient peut-être croire qu'il est à votre conduite une explication plus profonde que celle de la simple négligence. Qui sait même s'ils ne diront pas que vous êtes tellement fier de vos petits exploits que votre subconscient ne saurait supporter l'idée de les attribuer à votre M. Boylan ? Si c'était le cas, une telle vanité n'augurerait vraiment rien de bon pour votre entreprise.

Je n'ai pas l'intention de répéter ce que M. Lovesey vous a peut-être déjà dit, en des termes plus acrimonieux et éloquents, c'est certain. Je dois néanmoins vous faire remarquer – la délicatesse habituelle de mon collègue l'en a sûrement empêché – qu'en dehors même de leurs conséquences pratiques, vos innovations ont entièrement démoli l'élégante structure artistique que Peter avait mise sur pied. La figure centrale de son concept était une série d'incidents qui, dans leur progression originale, vous auraient conduit de l'espiègle au proprement criminel – et, je vous en prie, comprenez-le, ce n'est pas là un effet auquel on parvient au petit bonheur la chance : cela demande du jugement et des soins constants. Or, je vous le demande maintenant, où auraient pu se loger, dans cette séquence aussi charmante que délicate, vos gigantesques crustacés ?

Nulle part, à mon avis. Quoique… entre le requin mort et la baleine en plastique ? Puisque vous paraissez tellement y tenir… Cela n'aurait pas convenu, mais dans son aspect concession, n'aurait pas été pire que ce que, avant vous, d'autres artistes passèrent à leurs clients. Mais en lever de rideau, non : c'était totalement inadmissible. Il est clair – ou devrait l'être à toute personne ayant un tant soit peu le sens de la mesure et des événements qui marquent – que la scène du requin, qui non seulement est délicieuse en elle-même, mais encore introduit le thème de la séquence que l'on veut développer, doit se dérouler au début. La placer après celle des crabes conduit à une chute de tension, l'ensemble de la pièce en étant aussitôt démoli. Comme je vous l'ai déjà dit, je n'entends pas faire preuve de trop de sévérité, mais il s'agit quand même là d'un acte de vandalisme pur et simple.

Au moins semblez-vous n'avoir encore rien fait pour mettre en péril le plan admirable que vous propose M. Hillerman. A la lumière de ce que vous avez déjà commis, je suis peut-être plus optimiste qu'il le faudrait, mais j'ose espérer que vos récentes acquisitions de savoir en matière de champignons ne se sont pas faites en entrant tout bêtement dans votre bibliothèque locale et en y empruntant, en vastes quantités et sous votre identité véritable, tous les livres qui, traitant des espèces vénéneuses, se trouvaient sur les rayons.

Prompt comme vous l'êtes à vous ruer sur ce qui, au mieux, n'a qu'une importance secondaire, vous me dites que ce seraient ces champignons qui constitueraient l'élément essentiel du plan de M. Hillerman. De fait, ils n'en sont qu'un aspect mineur, même si, je vous le concède, ils ont, peut-être, quelque chose de fascinant. Pour une fois donc, je puis être d'accord avec vous : les connotations mystico-historiques du champignon ont de quoi séduire. Vous éprouverez sans doute quelque plaisir à vous rappeler que c'est au champignon que l'empereur Néron fit appel dans un but semblable au vôtre, notre Néron étant alors un jeune homme qui – mais vous en souvenez-vous ? – adorait s'habiller en femme et mourait d'envie qu'on lui reconnût des mérites artistiques. (Mais ne serait-ce pas, si je ne m'abuse, sa propre mère qu'il aurait liquidée par ce moyen ? Si, si : de son épouse il prit soin par des méthodes nettement moins sophistiquées.)

Le point essentiel dans ce plan, c'est la mise en place d'une structure qui, dès le début, vous présente sous les traits d'un assassin, au milieu, démontre que vous n'êtes pas le tueur que l'on croyait et, à la fin, révèle, au grand étonnement de chacun, qu'assassin, vous ne l'êtes même pas du tout – ce *chacun* englobant, à condition que rien ne cloche, l'ensemble de ceux qui, après votre mort, voudront bien lire vos mémoires, mais aussi, et hélas pour vous si d'aventure quelque chose battait de l'aile, tous les inspecteurs de police des environs. Audace éblouissante, splendeur même, voilà ce qui caractérise ce projet – à pouvoir le mener à bien, il est certain que vous connaîtriez une gloire artistique considérable.

Cela étant, et bien que je répugne à vous décourager de vous lancer dans une entreprise d'une telle qualité artistique, je me sens contrainte de vous réitérer ma mise en garde antérieure : entre l'Art et la Vie, il est des différences notables. L'une d'elles est la suivante : dans la pièce ou le roman, on peut en général compter sur le fait que les personnages ne se mettent pas brusquement à agir en contradiction avec leur caractère – après tout, c'est leur existence fictionnelle même qui en dépend. Dans la vie, il en va bien sûr autrement.

Le plan de M. Hillerman repose sur une manipulation habile et ingénieuse de la psychologie – savoir : la tendance qu'ont les policiers à ne rien croire de ce qu'on leur dit –, la manœuvre déclenchant d'une manière naturelle et convaincante toute une série d'événements qui conduisent au paroxysme final. D'un point de vue artistique, c'est proprement admirable. Mais supposons que, dans la vie réelle donc, notre policier n'agisse pas comme son caractère pourrait le laisser prévoir.

Supposons, par exemple, qu'il soit paresseux, incompétent ou encore amoureux de son épouse au point de vouloir rentrer chez lui au plus vite, que, bref, il n'ait aucune envie de pousser un peu plus loin que cette explication évidente qu'on lui fournit ? Supposons que le médecin légiste sans grande expérience qui dirige l'autopsie – ses aînés, eux, s'occupent des victimes empoisonnées aux champignons – ne remarque pas, ou n'ose pas souligner certaines incohérences entre ce que vous racontez et les preuves qu'il a sous le nez. Supposons même que l'heure du procès étant proche et que, votre avocat négociant encore une réduction de peine avec l'accusation (disons, et uniquement parce que vous vous êtes montré honnête et éprouvez beaucoup de remords, vingt ans au lieu des vingt-cinq que vous méritez), personne ne se soit toujours avisé que vos aveux ne doivent pas être pris pour argent comptant… Moi, j'aimerais bien savoir ce que M. Hillerman pourra vous conseiller alors ! Ne pas oublier en effet que s'il est bien évidemment une chose que vous ne pouvez absolument pas faire, c'est de laisser entendre qu'il conviendrait, peut-être, de réexaminer les preuves.

Décideriez-vous, après avoir étudié cette éventualité, que les résultats hautement artistiques qu'on vous promet ne valent peut-être pas la peine de courir de pareils risques que je ne me permettrais certainement pas de vous le reprocher. Ce qu'il vous reste alors ? De choisir entre la solution de M. Block et la mienne.

Mais comment, à être artiste, pourrait-on ne pas écarter le plan de M. Block d'entrée de jeu ? Contiendrait-il donc un seul élément qui ne soit pas totalement répugnant tant du point de vue de la morale que de celui de l'esthétique ? Inutile, je crois, qu'ici je m'excuse auprès de mon collègue vu que, tout de suite, il se donne un mal de chien pour vous expliquer que non seulement l'assassinat n'est pas, et ne saurait être, artistique, mais qu'en plus, et de par sa nature même, on a, dans le meurtre, affaire à un acte d'une monstrueuse brutalité. C'est peut-être pour réfuter implicitement les arguments de ceux d'entre nous qui auraient pu vous faire croire que l'homicide est parfois tout élégance, artifices et champagne pétillant qu'il vous offre une solution tendant à démontrer qu'en fait l'assassinat est toujours sordide et dégoûtant – et jamais ne saurait être sujet de bavardage pendant un cocktail, et encore moins objet de lecture pendant le repas.

A première vue, M. Block semble en effet bien décidé

à vous recentrer l'esprit sur les sombres réalités du meurtre. Pour mieux vous dissuader de jamais en commettre un ? Si tel était le cas, sa démarche serait moralement irréprochable. Mais même si c'était vrai, vous avouerez qu'il s'y prend d'une manière assez curieuse. Il commence par déclarer que vous n'êtes pas sérieux, que, de fait, vous n'avez pas vraiment l'intention de faire du mal à votre épouse ou à votre ami. Parvenir à cette conclusion ne paraît pourtant pas lui donner la satisfaction qu'on serait en droit d'attendre, puisqu'il ne vous félicite même pas d'être meilleur homme de renoncer à votre propos initial. Tout au contraire, voilà qu'il se gausse de votre indécision et de votre inefficacité, que même, on pourrait le croire au moins, il semble vous dire que vous n'êtes pas assez homme pour tuer.

Malgré les urbanités de son style, on commence à se demander s'il ne s'agit pas là de lointains échos de la cour d'école – ceux où l'on entend le petit garçon pousser son copain à tirer les nattes de quelque petite fille ou à attacher une casserole à la queue du chat de la concierge, à moins, bien sûr, que ledit copain ne soit une « poule mouillée » ou une « fifille à sa mémère ». Voyez donc encore comment, en vous faisant emprunter les chemins déplaisants de la boucherie et de la mutilation, il vous en montre les horreurs avec tout le zèle du puritain qui consciencieusement mesure chaque bout de barbaque en vitrine, le ton qu'il adopte paraissant toujours suggérer qu'à les contempler sans faire la grimace vous lui prouveriez votre virilité et vous ouvririez les portes de sa considération.

Vos autres conseillers, c'est vrai, ont peu fait pour attirer votre attention sur les aspects moins ragoûtants de l'assassinat : peut-être en avez-vous même déjà conclu que nous autres, écrivains, ne nous intéressons guère à cet aspect des choses et préférons nous consacrer à l'art de la tromperie ingénieuse. Vous aurions-nous donc, en omettant de vous en signaler tous les détails pénibles, encouragé à croire que le meurtre est un passe-temps convenable et acceptable ?

J'ose espérer que non, car moi non plus, je ne le pense pas. Il m'est de fait réconfortant de constater que l'Angleterre des années 20 et 30, qui se passionnait pourtant pour le roman policier, ne semble pas avoir connu une augmentation sensible dans le nombre de ses homicides. Les membres de notre noblesse étaient même capables de passer de longs moments dans leurs bibliothèques sans se faire poignarder par un parent proche ou éloigné ; nombreux furent les petits thés que l'on prit sans que le pasteur se crût obligé de glisser de l'arsenic dans les sandwichs. Remarquablement rares furent encore les majordomes qui, dans nos maisons de campagne, tenaient pour honorable d'animer un peu le week-end en abattant un des invités à coups de fusil.

Il est possible que la solution de M. Block vous séduise plus que les autres. Il se peut même que le désir que vous avez de tuer votre femme n'ait rien à voir avec ses défauts personnels ou avec les difficultés propres à votre mariage – que, de fait, vous ayez moins envie d'assassiner votre épouse que n'importe quelle autre femme, voire toutes les femmes de la Création, que, bref, votre épouse ne soit, là-dedans, que la représentante la plus directement accessible d'un sexe que vous détestez dans son ensemble. Si tel est bien le cas, je ne doute pas qu'en vous offrant la possibilité de massacrer et de mutiler un nombre pratiquement infini de victimes interchangeables, la solution de M. Block ne vous attire sérieusement – moins parce qu'elle serait pratique que parce qu'elle remplirait de fantasmes bien agréables tous les moments que vous passez à tenter de tromper votre paresse.

Mais, dans ce cas, je crains fort d'avoir à vous demander de m'excuser : je ne saurais en effet plus longtemps m'entretenir avec vous de ce sujet, ni non plus d'aucun autre – femme, je le suis, et ne puis donc que me compter au nombre des objets de votre haine. Comprenez que, dans ces circonstances, je ne puisse me sentir, même de loin, capable du semblant d'amabilité minimal qu'exige tout commerce un tant soit peu civilisé.

Vous me direz peut-être que je prends trop l'affaire à cœur. Imaginer le plaisir que vous auriez à me tuer, puis couper en petits morceaux, ne saurait, me direz-vous encore, clairement indiquer une quelconque malveillance de votre part : il n'y aurait, là-dedans, aucune méchanceté foncière, il ne s'agirait que d'un assassinat pour faire semblant, que d'une mutilation pour rire, non, vraiment, il ne faut point aller y chercher le moindre désir d'offenser… et comment pourrais-je, moi, être assez peu ouverte pour prendre personnellement la chose ? Tant pis, Tim : c'est le cas. Oui, je prends tout cela d'une manière plus que personnelle, et y vois des intentions proprement diaboliques.

Mais… pardonnez-moi : je n'ai aucune preuve manifeste que tel serait effectivement votre propos – ce fantasme est celui de M. Block, et de M. Block seulement. Vous rappellerait-il encore à l'ordre en vous remontrant l'état présent de vos dispositions que vous feriez peut-être bien de lui enjoindre de commencer par examiner son âme. A supposer, comme j'espère être fondée à le faire, que sa solution vous paraisse aussi répugnante qu'à moi, la mienne est, de ce fait, la seule envisageable. Je profiterai donc de l'occasion qui m'est offerte pour vous envoyer le programme du prochain Festival d'Édimbourg et vous prie, ici, de bien vouloir agréer l'expression de mes sentiments les plus sincères.

Deuxième réponse de Lawrence Block

Bon, ça va : je vous pardonne.

Mais je dois vous dire que vous m'avez foutu en rogne un bon moment. Votre deuxième lettre m'a fait gronder, aboyer et presque casser tous mes meubles en petit bois. Et je le reconnais, tout ça, c'était très largement de ma faute. Votre premier courrier était pourtant d'une clarté toute nixonienne. « Mes chers amis », y écriviez-vous d'entrée de jeu. Va savoir pourquoi, j'ai dû rater le pluriel, va savoir pourquoi mon *amour-propre** m'a poussé à croire, non pas que j'aurais été votre seul ami, mais la seule personne que vous aviez décidé de consulter sur le problème bien particulier qui vous occupait, ça, oui. Car c'était bien un problème que vous me soumettiez. Et une solution, assez habile, il faut le dire, que je vous proposais en retour. Vous alliez donc ou bien mettre ma solution en pratique ou bien, et c'est plutôt à cela que je m'attendais, en reconnaître le génie et m'avouer aussitôt que, psychologiquement, vous n'étiez pas capable de la mener à son terme. L'une ou l'autre de ces deux réponses m'aurait paru satisfaisante.

C'est alors que votre deuxième courrier m'arriva. « Mes chers amis », y lanciez-vous encore une fois d'entrée de jeu. Et, pour qu'on ne loupe surtout pas votre pluriel, vous écriviez ensuite : « Franchement ! Vos cinq réponses… m'ont beaucoup choqué. »

« Choqué. » Tiens donc. Certainement pas plus que moi lorsque j'ai découvert que vous aviez aussi consulté quatre petits maîtres afin de vous faire aider dans votre projet. J'aurais pu admettre que vous leur ayez demandé leur avis *après* avoir reçu ma réponse. Vous rendant compte que jamais vous n'auriez la force de caractère nécessaire à la réalisation de mon plan, vous auriez pu, c'est vrai, avoir besoin d'explorer d'autres voies avant de renoncer entièrement. J'aurais même pu comprendre que vous fassiez le tour de mes collègues *avant* de vous adresser à moi. Vous rendant aussitôt compte de l'inanité de leurs réponses, vous vous seriez alors tourné vers la seule personne capable de vous prodiguer le conseil que vous cherchiez depuis le début.

Mais oser nous consulter tous en même temps. Je ne puis y voir qu'une explication : votre désir de travailler efficacement, disons… à la manière de cette jeune femme qui s'imagina de coucher avec neuf hommes parce qu'elle espérait avoir un enfant en un mois. Franchement, j'enrageai : contre vous et contre moi. Comment aviez-vous pu ? Avoir le front de me demander de prendre part à on ne sait quelle loterie en vous concoctant un plan d'homicide très poussé (et drôlement sensé, en plus) et en le jetant dans le chapeau dans l'espoir que quelqu'un l'en tire et me file le gros lot ?

N'a-t-il donc aucune idée, tempêtai-je, de la place ô combien prééminente que j'occupe depuis si longtemps dans ce métier ? Ignore-t-il tout de ce que je suis en ce domaine ? Le sombre importun penserait-il que j'écris encore en priant le ciel qu'on veuille bien me publier ?

Ne sait-il donc pas qui je suis ?

Ah, ego ! Si c'est « la conscience qui de nous tous fait des couards [1] », c'est sûrement l'ego qui nous transforme en bouffons. Cela étant, ne pas trop vite le condamner, cet ego. Tout bien considéré, il n'y a quand même que lui pour nous distinguer des saints.

Mais je digresse.

J'étais en colère contre vous, imaginez la fureur qui me dressait contre moi-même. Comment avais-je pu ignorer les implications pourtant évidentes de votre première missive ? Je la relus et m'étonnai de l'étroitesse de ma vision. Il était on ne peut plus clair que vous demandiez conseil à plusieurs d'entre nous et, hélas, je ne vois toujours pas comment je me débrouillai pour ne pas le remarquer aussitôt.

Au fond, c'est tant mieux. L'aurais-je découvert que j'aurais balancé votre première lettre à la corbeille, avec les prospectus pour valises à des prix défiant toute concurrence et autres abonnements à divers magazines. Il vous aurait fallu choisir entre M. Westlake, Lovesey et Hillerman et Mme Caudwell. Mauvais vents que tout cela et, dans le cas présent, tout le bien en serait allé à votre épouse qui, grâce à eux, aurait très raison-

1. Citation du monologue d'Hamlet *(NdT)*.

nablement pu espérer vivre bien plus de cent ans.

Je l'avoue, ma première idée fut de jeter leurs réponses sans me donner la peine de les lire. Ça fait des années que je ne procède pas autrement avec leurs livres – que leurs éditeurs s'obstinent à m'envoyer dans l'espoir qu'un jour je voudrai bien leur faire quelque publicité. Un mot de moi fait beaucoup pour asseoir un écrivain de deuxième zone et c'est tous les jours que, l'espoir au cœur, tel ou tel directeur de collection m'assiège de ses manuscrits prometteurs. M'étant depuis longtemps fait une idée des travaux desdits Westlake, Lovesey, Hillerman et autres Caudwell, je n'avais aucun mal à imaginer le genre de meurtre qu'ils n'allaient pas manquer de vous proposer.

Westlake allait solliciter l'aide d'on ne sait quels balourds de l'assassinat et tous les forcer à essayer de tuer votre épouse qui sans doute mourrait, mais seulement de rire en les voyant échouer. Lovesey ? Il demanderait à un lutteur de foire de zigouiller votre femme à coups de poing et en plein ring. Hillerman vous obligerait à vous couvrir de plumes, à peindre des trucs avec du sable et à en appeler au Grand Esprit pour qu'enfin une horde de bisons affolés l'écrasent sous leurs sabots. Et Caudwell ? Caudwell interminablement vous trimbalerait de l'Auberge de Lincoln aux Îles grecques en compagnie de gens ayant noms Ragweed et Catnip[1].

Tel était l'état d'esprit dans lequel je me trouvais lorsque je m'assis pour lire leurs manuscrits. Je dois le

1. Soit « herbe de saint Jacques » et cataire *(NdT)*.

reconnaître, ma surprise fut grande. Nos quatre preux atteignaient à des sommets de logique et de clarté, que dis-je ? d'imagination et d'invention que jamais encore je n'avais décelés dans leurs écrits. Peut-être ont-ils raté leur vraie vocation, me dis-je. Peut-être auraient-ils dû, il y a bien des années, prendre une tout autre voie. Qui sait si, à l'avoir fait, ils ne seraient pas aujourd'hui en train de concevoir de superbes programmes de marketing pour les plus grosses boîtes du pays ? En plus de leur boulot, s'entend : ils ont, tous autant qu'ils sont, les dents bien trop longues pour se lancer dans de nouvelles carrières à l'heure qu'il est. Espérons seulement que, Dieu sait comment, l'ingéniosité et l'habileté dont ils font montre dans cette affaire passent un jour dans leurs bouquins.

Je lus donc leurs productions, dans le même ordre que vous. La première était celle de Westlake.

Impressionnant !

Bon, c'est vrai, ça mettait un sacré bout de temps à décoller : que de conseils assommants sur l'art et la manière de se forger une fausse identité ! Comme si ce genre d'entreprises nécessitait pareil déploiement de recommandations alors que les médias ne parlent que de ça depuis des années, jusques et y compris lors de la dernière édition de *Soixante Minutes*[1]. Un tel luxe de détails inutiles me dit que Westlake n'a pas oublié l'époque où, parce qu'il n'avait droit qu'à deux *cents* le mot, jamais il ne disait les choses en une phrase s'il pouvait en tirer un paragraphe entier.

1. Célèbre magazine d'actualités de la chaîne CBS *(NdT)*.

Il n'empêche : dès que son Minor DeMortis se prend à exister, le scénario de Westlake est louable. La petite touche qui fait plaisir ? Celle qui oblige votre faux-cul de Blazes à savoir qui l'a foutu dans la merde, et comment. Vous abattez votre épouse, vous refilez le pistolet à votre ami et ça y est : le voilà qui tient l'arme du crime, a les mains couvertes de poussière de nitrite et contemple le cadavre qui s'étale à côté de lui.

Ce qui fait, et l'astuce est belle, que c'est au moment même où il essaie de s'expliquer que votre Blazes vous fournit votre alibi. Westlakien en diable, tout ça, non ? Déjà on voit la farce théâtrale où le héros s'encadre dans une porte à l'instant précis où une autre lui claque dans le dos : tantôt il porte perruque, tantôt il a un bandeau sur l'œil, un coup il est grand, un autre il est petit. Tel est le regard plus qu'intense qu'on aura pour ce DeMortis que jamais la police et les autres n'auront vu hormis dans une ville où il ne réside pas. Mais c'est justement pour ça, prétend Westlake, que le subterfuge marchera.

Voire. Ne pas oublier que ce seront les mêmes policiers qui, le même soir, vous interrogeront en chair et en alter ego. Même à supposer que vous soyez passé maître dans l'art du déguisement, même si vous êtes capable d'altérer votre voix et de changer totalement d'expression, je ne vous vois guère jouer votre vie, la fortune de votre épouse et votre honneur sacré en tenant pour acquis que jamais un seul de vos flics ne sentira le sale petit rat qui se cache sous votre fourrure de gentil mouton. Ça peut marcher, je vous l'accorde, mais passez-moi en retour que votre Westlake s'en remet un peu trop à la chance.

Itou pour votre emploi du temps. Les flics vous interrogent. Vous allez, leur dites-vous, passer la nuit à l'hôtel et rentrerez chez vous au petit matin. Et si, pendant ce temps-là, ils s'en allaient vérifier votre alibi en consultant votre ami DeMortis ?

Voilà, ça y est : ils cherchent ce monsieur, voilà, ça y est : pendant ce temps-là, vous-même vous filez pour vous glisser dans sa peau.

Superbe, sans doute, mais… et la marge d'erreurs dans tout ça ? « Allez, vous disent-ils, on va lui rendre visite ensemble, à ce DeMortis ? » Qu'est-ce que vous faites dans ce cas-là, je vous prie ?

Admettons, pour le seul plaisir de disputailler, que tout cela se passe sans embrouilles et que, votre supercherie un rien tirée par les cheveux trompant effectivement tout son monde, votre alibi soit en béton. Moi, je vous dis qu'au bout du compte, tout tombera quand même à l'eau – pas à cause de l'enquête policière, mais suite à celle que mènera le détective privé que votre Blazes se fera un plaisir d'engager.

Si le point fort de Westlake est que Blazes sait parfaitement qui l'a coincé, c'est aussi son point faible. Parce qu'armé de ce savoir, Blazes saura à qui s'en prendre. Il ne fait aucun doute qu'il engagera toute une bande de privés qui, eux, comprendront tout de suite que votre alibi est forcément bidon. Et s'en iront chercher votre DeMortis et là – ou bien ils ne le trouveront pas, ou bien ils auront tôt fait de percer le mystère de son identité.

Et alors ils commenceront à vous démolir votre alibi. Ils iront au restaurant où vous avez fait votre somptueux repas funéraire. Ils interrogeront le chef de rang, le garçon, l'aide-serveur. Ils examineront votre note, en étudieront le pourboire. Et en concluront que vous avez dîné seul.

Et vous tomberont sur le dos tel un plein camion de briques. Westlake lui-même – et les briques, ça le connaît pourtant – ne saurait prétendre le contraire.

Parce que ça ne peut pas se passer autrement. Blazes ne pourra pas ne pas s'attaquer à votre alibi. Et dès qu'il s'y mettra, tout s'effondrera. C'est comme une rue dans un décor de cinéma : il n'y a que des façades. Regardez-la seulement sous un angle différent de celui qu'on voudrait vous imposer et la supercherie tombe d'elle-même.

Que je vous dise un truc : c'est pas plus mal. Parce que malgré toute son ingéniosité, parce que malgré toutes ses belles apparences – l'œuvre de Westlake est-elle plus ? –, ce plan ne répond nullement à l'une de vos exigences essentielles : celle qui vous donnerait un meurtre tel que le monde entier s'arrêterait pour le remarquer. Or là, votre monde entier hausserait les épaules et porterait son attention ailleurs.

Parce que c'est quoi, le fin du fin de son histoire ? Un amant qui tue sa maîtresse et se fait promptement appréhender ? Avec une arme à feu dans les mains ?

Bon, bof… non ?

Où elle est, l'astuce sublime, dans tout ça ? Complètement cachée aux regards de tous. La seule personne qui comprendra qu'il y a là beaucoup plus qu'un petit meurtre de routine, ce sera un Blazes qui, réaction normale, s'empressa de crever le décor. Et à ce moment-là, j'en ai bien peur, tout votre subterfuge apparaîtra au grand jour – sauf que vous, vous vous retrouverez dans le box des accusés. Pour meurtre.

Ce qui n'est quand même pas tout à fait ce que vous vouliez. Non ?

Passons à Lovesey.

Si, caractéristique qui lui est propre, Westlake commençait par délayer la sauce, Lovesey, lui, et c'est non moins typique de sa manière, commence par tout vous mettre en perspective historique. Tout ce qu'il écrit – et qui pourrait presque satisfaire – se passe à l'ère victorienne. Si ces trucs-là sont plus convaincants que le reste de ses productions, c'est peut-être parce que, du coup, ses lecteurs ne sont pas vraiment capables de s'avouer qu'il écrit pour ne rien dire.

Attaquer sur Smith et Haigh me fait partir du mauvais pied. Quant à ses exigences financières ! « Vous êtes assez plein aux as pour me verser des annuités d'un million de dollars, disons, jusqu'à la fin de mes jours. » (Qu'entend-il donc par là ? Un million de dollars par an, ou seulement, mais toujours annuellement, les intérêts d'une telle somme – ce qui ne serait d'ailleurs pas mal non plus ? Comme toujours, on n'est pas très clair, vous ne trouvez pas ?)

Ce qui m'amène à songer que moi, je n'ai jamais pensé à vous demander de l'argent. Heureux, je l'étais assez de pouvoir seulement vous suggérer un plan susceptible de vous servir. Laissez-moi deviner un peu : tout à fait incapable de gagner plus que ses broutilles habituelles en écrivant, Lovesey aurait-il donc vu dans votre affaire l'occasion unique de se faire une petite fortune en vous convainquant de lui refiler un bout de la vôtre ? Si jamais vous lui avez obéi, je doute fort que ce bas fumier écrive jamais un mot de plus.

Hummmmmmmm. Je sais qu'un million de dollars, ça fait beaucoup, mais… vous devriez y réfléchir.

Mais voilà que je digresse encore. Ce genre de considérations mis à part, je dois reconnaître que le scénario de Lovesey n'est pas loin d'être génial. Il a du bizarre, il a du théâtral, il a même de l'allitératif. La Méduse dans le jacuzzi… hé ben voyons ! Notre homme a du doigté et il est clair qu'il a raté sa vocation. Toutes ces années qu'il aurait pu passer à trouver des manchettes pour les journaux à sensation !

On ne saurait s'attaquer au crime de Lovesey comme à celui de Westlake. N'en doutons pas, ce meurtre-là n'est pas de ceux où tout se fond dans les sables. Là où Westlake planquait son génie bien au-dessous de la surface, Lovesey fait tout au grand jour. Et son assassinat a tout ce qu'il faut pour qu'on en tartine de superbes manchettes.

Même que, côté manchettes, il y en aura avant que quiconque ait passé l'arme à gauche. C'est en effet dès que vous commencerez à déblayer le terrain que vos efforts attireront l'attention – de vos amis, d'abord, de la presse nationale ensuite.

Et c'est là qu'est le problème.

« Je veux vous voir en première page de tous les journaux d'Amérique », vous écrit Lovesey. Je ne vois pas, moi, qu'une baraque remplie de saloperies à ailerons pourrait produire le résultat escompté, mais on ne devrait pas en être loin. « Et dans l'instant – et avec quelle fièvre ! –, on se demandera lequel de vos amis a bien pu monter un coup aussi tordu », poursuit-il. Il ne se trompe pas et, gentils relais de vos efforts, nos amis les journalistes n'en resteront certainement pas là. Ils vous poseront des questions. Ils fouineront partout. Ils mettront leurs longs nez de journaleux dans tous les coins et recoins possibles. Et si vous leur avez préparé une piste qui les mène tout droit à Blazes, ils dévoileront son rôle dans l'affaire bien avant que le moindre frelon des mers n'aille tremper dans votre jacuzzi. Dix contre un qu'ils iront même au-delà de la piste et montreront que la bonne blague, c'est vous-même qui vous l'êtes jouée.

Auquel cas, Monsieur, vous serez encore une fois en première page des journaux, mais sous les traits du plus grand couillon que la terre ait jamais porté. Objet d'une plaisanterie des plus bizarres, vous serez aussi le crétin par qui tout est arrivé. Votre épouse, vous pouvez en être sûr, ne manquera pas de se joindre à l'hilarité générale.

Que faire ? Moi, je dirais : l'abattre. Vous vous en tirerez. Vu les âneries que vous vous serez déjà infligées à vous-même, tout le monde se dira que vous visiez sans doute vos doigts de pieds et que le coup a dévié.

Mais même si rien de tout cela ne se produisait – ce qui est peu probable, je vous l'assure –, même si, disons, vous réussissiez tous vos coups, le scénario de Lovesey compte un peu trop sur le désir qu'aurait tout un chacun de suivre un plan passablement arbitraire. Imaginez que votre épouse décide de faire une croix sur la Foire aux chocolats parce qu'elle aurait d'autres chats à fouetter. Imaginez qu'elle y aille, découvre qu'elle s'est trompée de date, mais décide d'y passer quand même la nuit. Imaginez qu'elle rentre à la maison et que, pour x ou y raison, elle arrête de ne pas prendre un bain ? Imaginez que, ballotté plus qu'il ne convient, votre pauvre frelon des mers expire dans son nouveau foyer – le frelon des mers, j'espère au moins que vous le savez, ça ne supporte guère les déménagements. Imaginez… imaginez, imaginez, imaginez, où s'arrête la liste ?… et justement. Vous comprenez ? Non, tout cela laisse la part trop belle au hasard. Le plan de Lovesey marcherait peut-être dans un roman – un roman fou, un roman farfelu, un roman encore plus bête que la vie –, mais ce n'est pas comme ça que, dans la vie réelle, on se débarrasse d'une épouse non moins réelle.

Dernier clou dans le cercueil de Lovesey : les deux bonshommes qu'il nous donne en exemple au début de son récit. George Joseph Smith et John George Haigh… ben tiens ! Et pourquoi, d'après vous, se souviendrait-on encore de ces messieurs ? Parce qu'ils l'auraient emporté au paradis ?

Faut-il poursuivre ?

Monsieur Hillerman.

Ah, le plan impressionnant qu'il nous concocte là ! Ça, j'étais loin de m'y attendre. Je craignais quelque effort méritoire, quelque pesant récit plein de conflits entre policiers indigènes et brutes de Caucasiens, quelque histoire où inévitablement on collerait le meurtre sur le dos de Lo, le pauvre Indien. J'étais sûr d'apprendre force détails abscons de la culture zuni, quelque chose qui me resterait après que j'en serais enfin, enfin ! arrivé au bout de ma lecture. Non, je ne m'attendais pas à tant d'astuce de la part d'Hillerman et ici même lui tire ma coiffe de guerre.

Sans compter que ça pourrait marcher. Tout faire pour se transformer en suspect numéro un ne manque pas de charme et désarmer complètement les flics en les forçant, d'entrée de jeu, à vous démontrer que c'est vous l'innocent… Voilà un truc qui a déjà fait merveille dans des dizaines de romans écrits par des gens tout aussi habiles qu'Hillerman, pourquoi faudrait-il que ça foire dans la réalité ?

La réponse, je le crains, est à trouver dans la plainte qu'Hillerman laisse échapper dès les premières pages de son opus. Le crime n'a rien d'original, ce sont toujours les assassins les plus bêtes qui se font prendre et, invariablement, de la manière la plus conne qui soit. Les flics, peut-être par mimétisme, sont devenus fort bêtes eux aussi et si leurs moyens scientifiques se sont considérablement améliorés, ils les emploient de façon de plus en plus nulle.

Prenons un exemple : il y a quelques années, le cadavre d'une femme ayant été repêché dans les eaux de l'Hudson, l'autopsie demandée à la morgue de New York fit conclure à la mort par noyade. Mais, un rien plus joueur que ses collègues, un des employés réussit alors à garder la tête de la dame et à s'en faire un ornement de bureau, je n'invente rien. Quelques mois plus tard, quelqu'un, qui examinait paresseusement l'objet, s'aperçut que celui-ci contenait une douille. La femme ne s'était pas noyée, on l'avait abattue d'une balle en plein crâne.

Et Hillerman voudrait nous faire croire que, placés devant le cadavre d'une femme flottant dans une baignoire et un mari qui hurle que c'est lui qui a cogné madame et lui a maintenu la tête sous l'eau, les flics iront chercher plus loin ? Il ne fait aucun doute qu'une autopsie soignée démontrerait l'incohérence de vos propos, mais de là à croire que votre femme aura droit à une autopsie *soignée* ! Votre épouse étant riche et connue, il est possible qu'on se montre plus soigneux et fasse plus attention aux détails que d'habitude. (Mais la femme à la balle dans la crâne, elle aussi, était friquée et célèbre – et son assassin d'époux était médecin ! Bref, ne rien croire aveuglément.) Imaginons donc que notre autopsie fasse la preuve de ce que vous avez envie de démontrer. Le problème ne devient-il pas alors de savoir comment vous allez vous y prendre pour ôter la corde que vous avez autour du cou et la passer autour de celui de Blazes ?

C'est que tout fonctionne impeccablement dans le scénario d'Hillerman. Vous dites ceci, le flic vous répond cela, vous ajoutez autre chose, le flic vous renvoie « Et alors ? », vous lui balancez des « Heu… heu… », il vous assène des « Voui voui… », mignon, tout ça.

Sauf que je ne vois pas pourquoi ça devrait se passer comme ça.

Et que je pourrais vous en dire beaucoup encore, beaucoup, beaucoup, pour vous dissuader de vous lancer dans le genre d'aventures que vous suggère Hillerman, mais que… Vous serait-il jamais arrivé de lire une de mes nouvelles intitulée *The Ehrengraf Nostrum ?* Le héros de cette histoire, Nero Ehrengraf, est un jour appelé à défendre un client qui aurait assassiné tout un bataillon de quidams en trafiquant certains produits dans le seul but de liquider son épouse au passage.

J'ignore si vous connaissez ce récit. Mais je suis plus que sûr que M. Hillerman, lui, l'a lu attentivement. J'en suis même tellement convaincu que mon avocat est au bord de l'attaque tant il se réjouit à l'idée de poursuivre votre mentor en justice, pour plagiat.

Voilà pourquoi, sur les conseils de mon conseil, je n'en dirai pas plus sur la délicieuse idée d'Hillerman.

Et, pour finir, Sarah Caudwell.

Lorsque le style « vastes effusions » de cette dame eut cessé de m'indisposer, je fus renversé par la brillantissime habileté de son plan. Si celui-ci est, en son fond, assez banal, il est servi par une prose aux effets prodigieusement théâtraux – en douter serait impossible. Tout y est tendu vers le moment, à nul autre pareil, où notre Blazes est appréhendé alors même que, l'arme du crime à la main, vous vous penchez sur le cadavre de votre épouse.

Voilà qui saisit. Voilà un crime, me dis-je, qui passerait dans les annales, même si les circonstances de l'affaire ne devaient jamais être élucidées. En le lisant, plusieurs fois il me vint d'ourler les lèvres pour siffler en silence : l'admiration. Mais quand j'arrivai à la fin, ce fut la grimace.

Mais quoi ? me raisonnai-je, tout cela est excellent ! Et, toujours prompt à reconnaître le mérite quand je le vois, je m'ajoutai que c'était peut-être mieux, qui sait ? que ce que je vous avais moi-même proposé.

Mais quand même… Quand même.

Ce cri enregistré pouvait poser problème. Car si votre enregistrement était découvert, car si jamais vous n'arriviez pas à récupérer votre magnéto et à vous en débarrasser en temps utile, tout était fichu. Et y parvenir exigeait un chronométrage parfait, exigeait que rien, absolument rien ne clochât. Au fond, c'est bien là le *caveat* premier de ce plan, n'est-ce pas ?

Mais détail, me dis-je, et écartai tout cela d'un revers de la main. Non, arrêtai-je enfin, le scénario de Caudwell est impeccable.

Mais alors pourquoi hésitais-je tellement à l'approuver entièrement ?

La nuit portant conseil, le lendemain matin, la réponse m'apparut clairement. L'aube d'un jour nouveau ayant pointé, enfin je relus le caudwellien opus et en découvris la vipérine faute. Là vous êtes, à préparer un crime compliqué à des milliers de kilomètres de chez vous. Je vous y vois : vous dites à vos hôtes que vous avez oublié de signaler quelque chose à votre femme pour le départ du lendemain, et vous vous excusez. Et vous ruez jusqu'à sa chambre, et frappez à sa porte et, quand aucune réponse ne se fait entendre, vous entrez.

« Vous avez toujours votre clé », vous rappelle Caudwell. Intéressant, non, qu'elle se donne ainsi la peine de vous le faire remarquer ? Vous avez toujours votre clé, vous vous en servez pour ouvrir la porte et… sur quoi vous tombez ?

Pas du tout, je le crains, sur une épouse qui patiemment attendrait qu'on l'assassine. Non, mon ami, j'ai bien peur que vous ne tombiez sur tout à fait autre chose : sur un tueur à gages qui vous plantera son poignard en plein cœur. Une femme de chambre ? Une pauvre fille cruellement utilisée et encore plus cruellement abusée, mais qui ne vous en plantera pas moins sa lame dans le palpitant ? Je ne saurais vous dire sur quoi vous tomberez précisément parce que j'ignore ce que miss Caudwell vous a préparé, mais je suis sûr que surprise il y aura et doute beaucoup qu'elle vous fasse grand plaisir.

Vous ne voyez donc pas ce que vous avez fait ? Engager une femme pour vous aider à tuer la vôtre ! Ah, la folie de tout cela ! Ah, la très grande folie ! Que Caudwell arrive à ses fins et ce sera par deux fois que vous vous serez fait avoir : par l'explosion de votre propre pétard et par la corde du bourreau.

« J'espère, sans me vanter, avoir réussi à vous fournir ce moment suprême que je vous avais promis, vous écrit l'astucieuse salope. J'ignore si vous le trouverez aussi satisfaisant que celui auquel vous vous attendiez… »

Ben tiens !

Comme vous le voyez, j'étais rien moins qu'impressionné par les quatre membres de cette équipe à laquelle, je le découvrais, vous m'aviez mis en renfort. Tous avaient amplement dépassé mon attente et, bah, me disais-je, la belle affaire si, tous autant qu'ils étaient, ils se montraient un peu courts. J'étais certain – raisonnablement en tout cas – que vous verriez l'évidente supériorité de mon plan et en tireriez les conséquences adéquates.

Je relus donc votre deuxième courrier avec une certaine attention, et d'un bout à l'autre cette fois.

Au début, mon alarme fut grande. Ne voilà-t-il pas que, vous ruant sur le projet de Westlake, vous le mettiez en branle… et, d'un seul coup d'un seul, le faisiez basculer dans l'absurde en transformant son DeMortis en gonzesse ? Ce monsieur, me dis-je, ce prétendu génie du crime ne cherche jamais qu'une excuse pour s'habiller en femme. Grattez un peu l'uxoricide et vous retrouverez la folle.

J'en étais encore à me remettre de mon émoi lorsque je m'aperçus que, laissant tomber Diana Clement, vous vous appliquiez déjà à suivre les injonctions de Lovesey. Que vois-je ? Un monsieur qui dégueulasse sa pelouse en y lâchant des crabes géants ?

Mais voilà que, tout soudain, les bestiaux se barrent. Un simple appel à Police Secours suffirait-il à faire disparaître ce genre de créatures de dessus vos gazons ? Ça, vous devez vivre dans de superbes quartiers ! Mais bon : les crabes aussitôt barrés, vous traquez le champignon et, enfin, en trouvez un qui va vous tordre vos cadavres en formes alphabétiques. Pour quoi faire ? Pour que vos victimes vous écrivent avec leurs membres un dernier message d'agonie ? A empoisonner un nombre infini de singes, on aurait donc toutes les pièces de Shakespeare ?

Mais les champignons en sont déjà jetés – dans une poêle, avec de l'ail et un peu d'huile, n'est-ce pas ? –, lorsque l'idylle écossaise de Caudwell vous déboule dessus. Vous commencez à suivre son plan, mais y renoncez lorsque enfin ma lettre vous parvient. Et lors je vous vois en train de pas à pas la mettre à exécution quand, votre épouse vous ayant fait une remarque en passant, derechef vous en revenez au scénario Westlake.

A ce point-là, je faillis bien m'en laver les mains. Presque je crus l'image de vous-même que vous tentiez, et avec quelle habileté, de nous vendre – celle d'un dilettante qui repousse toujours au lendemain, d'un monsieur qui est totalement incapable de s'en tenir à quoi que ce soit plus de cinq minutes, celle d'un homme qui ne peut pas s'empêcher de broder sur tout ce qui lui tombe sous la main, et avec une telle ardeur que le travail d'aiguille fait vite disparaître le drap qui se cache en dessous. Qu'il aille se faire voir, me dis-je même peut-être à haute voix. C'est un gâte-sauce qui te fait perdre ton temps, il n'arriverait même pas à tuer une mouche, continuer de lui écrire serait gaspiller du bon papier pour répondre à des torchons.

Et puis je m'arrêtai à certain passage et le relus.

Et, surprise intéressante, m'aperçus que dans les premiers efforts que vous aviez déployés pour mettre en œuvre mon petit plan, vous n'aviez absolument pas brodé. Que, de fait, vous vous étiez contenté de ramasser des poils à droite et à gauche, plus quelques bouts de tissu cellulaire ici et là.

J'achetai des journaux de votre coin de la planète, deux ou trois numéros remontant à une quinzaine de jours. Et les lus. Et découvris que, trois jours à peine avant que vous ne m'envoyiez votre deuxième courrier, une jeune femme avait été retrouvée morte dans un motel voisin. Elle semblait s'être rendue dans une chambre réservée par un certain J. G.. Haigh, suite à un appel téléphonique, la dame en question exerçant la profession de masseuse.

Thelma Rackowski de son nom, la victime, on le disait, était morte « horriblement étranglée ». Découvrir les marques de strangulation n'avait pas dû être facile vu qu'un bon bout du cou de la demoiselle se trouvait certes toujours sur le lit avec le reste du cadavre, mais que l'autre, celui qui tenait encore à la tête, avait été fiché, avec la tête, bien sûr, sur une des appliques murales de la chambre. (On avait ôté l'abat-jour de l'applique, la tête étant alors vissée, par le cou, sur l'ampoule. Cette dernière était-elle allumée ? De la lumière brillait-elle dans la bouche de la victime comme dans une citrouille de la Toussaint ? L'article ne donnait guère de détails.)

D'autres portions de son anatomie avaient été fort artistement ôtées, puis, mais pour certaines seulement, curieusement alignées les unes à côté des autres.

J'appelai les flics de votre ville. Sachant qu'ils ne disent jamais tout à la presse, j'évitai de me faire passer pour un journaliste. Au lieu de cela, je prétendis être officier de police dans un État situé à quelque 800 kilomètres du vôtre et leur révélai que, par certains côtés, l'affaire Rackowski ressemblait à une série d'homicides qui s'étaient produits au fin fond de mes campagnes. Le tueur aurait-il laissé traîner des indices compromettants derrière lui ? leur demandai-je enfin.

On m'informa que oui. Après un examen assez poussé des lieux, on avait en effet découvert tout un tas de poils divers, certains ayant pu se trouver là avant le meurtre, le nettoyage des chambres n'étant pas le point fort de l'établissement. Cela dit, on avait aussi retrouvé x poils sur le corps de la victime, dont plusieurs (des poils pubiens) encore accrochés à la lèvre inférieure de la jeune femme. Ces poils n'appartenant pas à la dame, me dit-on alors, on en attribuait la propriété à un mâle de type caucasien.

Donner un nom à ce mâle de type caucasien ne posait guère de problèmes, vous ne trouvez pas ?

Avant de les remercier, je pris soin de bien marquer certaines différences essentielles entre les crimes que, censément, je cherchais à élucider et le travail de leur Éventreur des motels. Je raccrochai et donnai libre cours à ma jubilation. Aurais-je porté un chapeau que je vous l'aurais tiré bien bas. Merde, tiens ! Je l'aurais même jeté en l'air.

Vous suiviez mon plan !

Et que d'astuce de votre part ! Faire ainsi semblant de mettre en œuvre les idées de mes collègues alors que vous passiez tout votre temps à les bousiller entièrement ! Permettez donc, je vous en prie, que je me réjouisse de vos succès. Mlle Rackowski ? Je ne lui en voulais certes pas. Pas plus que je n'en veux à votre épouse ou à votre ami Blazes. Comme celle de tous les innocents qui vont y passer, la mort de ces deux personnes ne saurait pourtant manquer de me satisfaire, d'une manière un rien maladive peut-être, mais réelle néanmoins.

Comment pourriez-vous donc, dans ces conditions, me reprocher d'ainsi me complaire dans ma juste fierté d'auteur ?

Vous ne le faites pas ?

Je m'en doutais.

Deuxième réponse de Donald E. Westlake

Cher ami,

Ainsi donc, vous commencez à « beaucoup goûter cet échange de lettres » ? Voilà qui pourrait changer, l'« ami ».

D'accord, j'avais bien compris, et dès le début – et cela montre encore plus l'ambiguïté des sentiments que vous nourrissez à l'encontre de ce projet qui vous anime –, que vous multipliiez beaucoup le risque d'être découvert en consultant d'autres personnes que moi. Mais je pensais que c'était pour vous constituer un jury de pairs – sinon les vôtres, au moins les miens. On y aurait trouvé des individus du genre Ted Bundy ou John Wayne Gacy dernière version, disons. Des Dr Hannibal Lecter. Des Pol Pot. Des Imelda Marcos. Des membres de la commission d'enquête sénatoriale sur les activités de la CIA ? Un des grands patrons de la Drexel Burnham ? Enfin quoi : des gens qui s'en seraient *déjà* tirés sans ennuis. Je m'étais donc, et tout naturellement, dit que vous sentiez bien que ma propre…

Mais… passons. Le point essentiel là-dedans, c'est qu'au départ, je ne m'attendais nullement à ce que vous m'insultiez pareillement : me coller avec ces… ces *écrivassiers !* Non, je ne me doutais pas que vous m'obligeriez à frayer, à jouer des coudes, à traîner la savate avec ces flagorneurs, ces grippe-sous… ces *faiseurs*, oui !

Bon, ce n'est pas de leur faute et je ne saurais leur en tenir trop rigueur. Ils ont fait de leur mieux, pauvres huissiers qu'ils sont, et je leur accorderai ici – à eux, l'« ami », pas à vous –, le bénéfice d'un respect qui s'étendra jusqu'à leurs pitoyables offrandes. Patience de celui qui compatit, mais sait rester critique, plus magnanimité pour tout ce qui ressort à l'imperfectibilité de la nature humaine, ils auront droit à tout cela.

(Il n'empêche : je reconnais volontiers que l'idée de les voir ainsi invités à me critiquer, moi, que dis-je ? à passer jugement sur mes œuvres… à me *noter* peut-être ? m'irrite gravement. Je grince des dents rien qu'à penser au sort que connaîtraient mes travaux de fine dentelle entre leurs pognes de Sylvester Stallone. Ce qui, l'« ami », est d'ailleurs une des raisons pour lesquelles j'ai décidé de…)

Mais… passons. Chaque chose en son temps.

Êtes-vous bien à votre aise ? Enfin, je veux dire… là où vous vous êtes assis pour me lire ? A l'aise, à l'aise ? Serait-ce donc dans votre salon de musique du premier étage, vous savez ?… celui où tout est tentures à grosses fleurs genre Mafia ? que vous avez choisi de vous installer ? Ou bien alors… dans votre salle d'habillage crème et or ? Celle avec les vidéos porno bouclées dans le tiroir de gauche de votre armoire Louis XV ? Où que ayez élu de vous poser pour me lire, à l'aise, j'espère bien que vous l'êtes. Pour l'instant. Pas de vents coulis sur la nuque, au moins ? Pas de démangeaisons inopportunes dans les avant-bras ? Pas l'impression, ô combien désagréable, de vous sentir observé ? Suivi à chaque instant par un regard infatigable ? Bien, bien. Continuez à me lire.

Gentleman comme je le suis – car, gentleman, heureusement pour vous, je suis toujours –, je commencerai par la réponse de la demoiselle. Les failles en sont aveuglantes, non ? Songez seulement que même vous, vous les avez vues. C'est vrai que le coup de l'agression au poignard et autres enregistrements au magnéto vous a, côté tour de main, un charme certain – pour les gens à l'esprit frivole, s'entend. Pour ceux qui jamais n'arrivent à trouver la solution du dernier épisode de Colombo avant la fin.

Mais… et le sang ? Ce *skene-dhu* que vous m'agitez sous le nez avec une nonchalance d'amateur finira forcément par vous trancher une artère, à tout le moins quelque vaisseau sanguin d'importance. Vous êtes-vous déjà rendu aux abattoirs ? C'est qu'on saigne prodigieusement, l'« ami », quand on reçoit un coup de poignard ! On pisse le sang, ça jaillit, la fontaine, que ça fait, et il y en a partout. A chaque battement de cœur – désespéré : c'est la fin –, c'est une nouvelle giclée, brûlante et crémeuse, que la victime, déjà condamnée, vous balance en un arc carmin… un torrent, oui. Vous sentez-vous donc assez agile pour fuir cette inondation en dansant sur la pointe des pieds ? Vous qui toujours êtes engoncé dans votre étrange et très déprimant costume ? Et même à supposer que vous ayez les pieds assez légers pour vous en écarter d'un pas de côté, même si vous saviez ainsi jouer les Baryschnikov de l'homicide, que feriez-vous de votre magnéto ? Ne pas oublier que vous devez le tenir caché dans les vêtements ensanglantés de votre épouse sans que jamais une seule goutte de ce résiné s'en vienne vous tacher, sans que jamais les mécanismes de votre instrument ne se coincent sous l'engorgement d'hémoglobine. Et qu'après, vous devez, en plus, le récupérer ! Et le cacher sur votre propre personne sans que jamais non plus une seule trace de sang n'y apparaisse !

Ha ! Ha !... Vous permettez que j'observe ?

Sans même parler du fait que ce n'est là que le moindre de ses défauts, à cette « opération ». Non, la difficulté première... vous voulez que je vous la dise ? A quitter votre maison, votre quartier, votre patrie pour vous en aller traîner sur des terres étrangères, vous ne serez plus qu'un *poisson hors de l'eau*.

A vouloir commettre des assassinats sur un sol étranger, l'« ami », mieux vaut commencer par s'armer et porter l'uniforme. Sans cela, il y a un peu trop d'inconnues dans l'équation. Comment pourriez-vous deviner à l'avance ce qui, coutumes, idiosyncrasies et autres excentricités du cru, ne manquera pas de saborder votre plan ?

Et si cette vérité générale vaut pour tout individu qui s'éloigne de son foyer, pensez qu'elle vaut doublement quand on choisit d'aller dans des Îles britanniques où l'illusion qu'on a de parler la même langue toujours donne à croire, et c'est bien là le danger, qu'on comprend vraiment ce qui se passe. Alors qu'il n'en est rien. Alors que telle ou telle autre conduite qui vous paraîtrait parfaitement anodine pourrait vous attirer plus que des regards innocents avant même que vous ne vous lanciez dans votre manœuvre sanglante ? Jamais vous ne saurez la nuance que vous avez ratée. Jamais vous ne saurez la trace, ô combien subtile, du caractère national, voire sinistrement local, que, sans même vous en apercevoir, vous allez laisser derrière vous et que, tel l'animal attaché au bran qui dit la proie, le policier écossais repérera avec la lugubre allégresse, avec la bestiale ténacité, avec le bas acharnement qui, depuis toujours, font du *highlander* la créature la plus redoutée qui soit au monde : raser les peuples à coups de cornemuse !

Que le chauvinisme soit fatal à toute pensée qui se voudrait claire devrait quand même aller sans dire. Que ça pue et que Mlle Caudwell vous convie au désastre, ça aussi, c'est évident. Pas touche.

De fait, le seul avantage qu'on puisse trouver à son idée serait qu'une fois pris – car vous le serez –, vous passeriez devant un tribunal écossais. Et que vous avez assez d'argent pour acheter les meilleurs avoués et avocats du barreau local. Parce que, contrairement à ce qui a cours dans tous les autres États du globe ou presque, la justice écossaise peut, oui, conclure autrement que par « coupable » ou « non coupable ». En Écosse, et nulle part ailleurs dans les Îles britanniques – de fait même, dans aucun autre pays civilisé –, il est possible d'arriver au verdict de « pas prouvé ». On dit, et c'est loin d'être inexact, que cela signifierait : Vous n'avez certes pas fait ce que vous avez fait, mais ne recommencez pas.

Sauf qu'évidemment, recommencer, vous n'y parviendrez pas à moins de vous remarier, n'est-ce pas ? Et il est clair que vos esclaves du droit écossais trouveront le moyen de vous faire sortir par la petite porte du « pas prouvé ».

Il n'empêche : je ne vois pas qu'à finir ainsi, votre entreprise aurait grand-chose à voir avec l'art ! Être la risée d'un bande de vieux truands emperruqués et qui parlent toujours comme s'ils avaient des racines d'arbres plantées entre les dents ! Cela dit... si c'est ce genre de sortie en fanfare qui vous titille, ne vous gênez surtout pas.

Ou bien alors ?... Serait-ce le plan de M. Hillerman que vous préférez même si, dès ma première réponse, je vous ai montré tout ce que l'approche de ce monsieur avait d'erroné ? Mais... permettez que je me cite (je ne cite que les gens que j'admire profondément) :

« Et quelles étaient-elles donc ces solutions que vous me proposiez comme sous le manteau ? Il y avait la *pharmaceutique*, comme vous disiez, soit : le poison. Alors que vous avez fait des études de médecine ? Et que la police ne manquera pas d'aller fouiller dans votre passé ? Parce que, je puis vous l'assurer, pour le faire, elle le fera et, permettez-moi de vous le dire, avec beaucoup plus de sérieux que celui que vous me donnez à voir dans votre lettre. Une femme morte empoisonnée et un mari qui a fait des études de médecine ? Ces messieurs de la police ne se laisseront jamais abuser par toutes les fausses pistes et autres alibis bidons que vous pourriez leur proposer. Votre astuce, la mienne et toutes celles qu'on pourrait faire entrer en jeu en allant voir ailleurs jamais ne tiendraient une seconde devant la véritable muraille de leur intime conviction. Votre condamnation serait acquise – pour meurtre. »

« Votre astuce », disais-je. Tu parles ! Évidemment, au moment où je vous écrivais ces lignes, je ne pouvais pas imaginer que vous aviez déjà décidé de m'inclure dans le groupe auquel vous songiez. Ce n'est qu'après que j'ai commencé à comprendre qu'en fait…

Mais… passons. Et parlons poison. Peu après vous avoir donné le conseil ci-dessus, je vous le représentai sous une forme plus catégorique encore : « Vous avez jadis passé quelque temps à faire de la médecine ? Laissez le poison sur son étagère. » Être plus clair serait difficile.

Et puis… même à supposer que vos connaissances médicales se bornent à l'art et la manière de gruger les assurances, en pêchant en son fond, le plan de M. Hillerman vous serait fatal : vous vouliez un crime parfait et que vous donne-t-il ? Une solution de raccroc que même un soldeur de bas étage n'oserait pas vous refiler.

Y aurait-il de l'art dans le meurtre en série ? Comme si, par sa nature même, le meurtre en série n'était pas toujours et nécessairement kitsch au lieu d'artistique ! Remplacer la subtile nuance par le sensationnel, l'artisanat individuel par la méthode bassement industrielle, l'impulsion spécifique par la vulgaire stratégie du marketing ! Vous vouliez du caviar pour les *happy few*, Hillerman vous fourgue de l'œuf McMuffin pour le vulgum. Cela étant, si c'est une Vénus de Milo avec un réveille-matin entre les seins que vous voulez, ne vous gênez surtout pas. Après tout, dans le genre désuet, le pensum de cet Hillerman n'est pas sans charme. Se ruer dans la salle de bain pour y assassiner une épouse déjà morte, tout avouer à la police d'entrée de jeu et autres conneries de même tonneau peut ravir. On en verrait presque par où cela vous tente.

Mais… pas si vite. Attendons un peu. Les graves défauts de ce projet sont loin d'avoir été tous recensés. Il y a d'abord le problème des déchets auxquels votre crime à la Hillerman vous condamne inévitablement. Et par « déchets », j'entends le gros *crassier* de cadavres (si j'ose ainsi m'exprimer, mais il y en a dix-huit !) qui, tels champignons fauchés dans la fleur de l'âge (si j'ose encore ainsi m'exprimer), s'entasseront derrière vous. Votre M. Hillerman aurait-il même seulement une pensée – une *pensée !* –, pour ces dix-huit carcasses d'espoirs flétris, pour ces dix-huit ombres à jamais raccourcies, pour ces dix-huit vaisseaux de rêves détruits ? Mais bon : si vous tenez vraiment à être celui qui, un à un, tous les expédiera d'un formidable coup de pied entre les buts du Seigneur, surtout ne vous gênez pas, l'« ami ». Libre à vous d'être leur homme de Porlock[1] : comme si apprendre à les connaître, et bien les connaître, ne vous allait pas à ravir !

Quoi ? Parce qu'ils ne seraient rien pour vous… c'est ça ? Parce qu'ils ne seraient que diversion ? Qu'écran de

1. Messager anglais qui, en interrompant Coleridge, interdit à ce dernier de jamais mettre fin à son poème *Kluba Khan (NdT).*

fumée ? Dix-huit vies qu'on mouche d'un revers de main ? Décidément, la décence n'est plus ce qu'elle était.

Mais arrêtons-nous un instant dans cette course à l'autosatisfaction et concentrons toute notre attention sur ces dix-huit âmes qui déjà, d'un pas traînant, se coulent dans les coulisses afin qu'on leur file des ailes. Qui sont-ils donc, ces futurs anges ? Y aurait-il un seul moyen d'en savoir quelque chose ?

Hé bien, oui, il y en a un. Tous ils faisaient partie d'une clientèle précise : celle de certain Yuppie Miam Miam, traiteur chez lequel ils achetaient, entre autres choses, des champignons exotiques. D'où il appert, nous sommes en droit de le supposer, que tous, ou presque, ils étaient fort instruits, riches et assez jeunes, disons : au-dessous de la barre des quarante ans. Et que tous, ou à peu près, ils devaient avoir des parents encore vivants.

Nous ne sommes pas ici en présence d'un incendie qui, du haut jusques en bas, aurait ravagé une maison de retraite grouillant de vieillards au bout du rouleau, en bout de parcours et à bout de lauriers. Non, ces gens-là se trouvent encore dans la courbe ascendante de la vie, connaissent des succès qui ne sont que les signes infimement précurseurs des gigantesques triomphes qui les attendent à coup sûr, ont des familles et, côté femmes, des plus que conquêtes qui toutes excessivement, maladivement même, sont fières de leurs mâles. Qui sait même si, à travers les victoires de leurs héros, certains et certaines de ces proches n'essaieraient pas de vivre comme par procuration ?

Et combien de ces familles, combien de ces « plus que

conquêtes » risquent alors, à votre avis, de ne pas vraiment se satisfaire du très léger réseau de mensonges que M. Hillerman vous demande de tisser autour de votre affaire ? Combien de ces personnes, toujours à votre avis, n'auront pas assez d'argent, d'intérêt, de douleur, de rage, que dis-je ? d'ire – et de temps –, pour ne pas engager un seul détective privé ? Pensez-vous vraiment aussi que vos chers concitoyens mettront beaucoup de temps avant d'aller rencarder tous ces vautours ?

(Car, contrairement à ce qu'un vain peuple croit, aussi nauséeux que ce soit, les privés et autres indics, ça se trouve on ne peut plus facilement dans le ruisseau. Mais qui est donc ce monsieur qui a l'air d'un gardien de parking désœuvré et pue fort de la bouche ? Et celui-ci qui a les poches bourrées de petits morceaux de papier remplis de notes hâtivement griffonnées ?)

Hé oui : telle est la compagnie à laquelle vous seriez condamné si, d'aventure, vous choisissiez la solution Hillerman – celle de vingt ou trente privés crasseux et affamés vous reniflant à la trace sans l'ombre d'un scrupule. Même à supposer que la police avale la thèse de votre innocence – alors que c'est votre épouse qui est morte empoisonnée et que vous, jadis, vous avez fait des études médicales ? –, vous n'en aurez pas moins, telles sangsues dans le marécage, toute une armée de mendiants à la Bosch sur les fesses.

Ne jamais oublier ça quand on pense détective privé. L'éthique et la morale, ça ne connaît pas, ces gens-là. Sans même parler du fait qu'au contraire de la police, l'obligation de prouver ce qu'on avance ne les lie pas.

Et que d'ailleurs, rien ne les lie. Et que donc, falsifier ceci ou cela n'est nullement au-dessous d'eux. Un seul critère pour eux, le succès. Une seule option pour eux, la réussite.

Tout cru, qu'ils vont vous bouffer.

Vous tourner vers M. Block alors ? A vous voir le faire, je saurais illico que vous ne me lisez pas avec beaucoup d'attention et vous recommanderais de reprendre cette lettre au début et de la parcourir avec un peu plus de soin. J'attendrai, l'« ami », j'attendrai. J'ai tout le temps qu'il vous faudra.

Enfin, vous avez l'air de commencer à comprendre. Le reproche que je fais au massacre à la Hillerman, je le fais bien sûr aussi à l'horrible autoroute d'assassinats que M. Block vous recommande d'ouvrir devant vous. De fait, l'ordonnance de M. Block m'apparaît encore plus répréhensible que celle d'Hillerman en ce que celui-ci faisait seulement dans le kitsch alors que celui-là travaille dans le kitsch sordide. C'est vrai, et je le reconnais, que le genre de victimes que M. Block vous a choisies susciterait moins d'émoi qu'un plein cimetière de yuppies empoisonnés. Mais il n'y a pas que cela.

L'art est bien l'anoblissement de l'expérience humaine, non ? Le point d'équilibre où enfin s'accordent tous les rêves et toutes les peurs, ambitions et vérités historiques de notre espèce… non ? Sans notre pitié, le crasseux ordinaire serait-il plus que ce qu'il est, savoir : le paysage nu, le terreau qui un jour donnera vie à l'art ? Au moins le projet de M. Hillerman a-t-il le mérite de faucher une bande de gros légumes, un paquet de gens dont, en elle-même, la fin prématurée est lourde de tragédies, ou d'ironies du sort, enfin quoi : contient quelques ingrédients nécessaires à l'éclosion de l'art. Alors que chez Block... des petits sachets en plastique remplis de poils pubiens ? X rendez-vous avec des pétasses qui ont chu ?

Non, vraiment, Monsieur, votre passé, vos goûts, votre style de vie actuel, rien en vous ne suggère le plus léger penchant pour une quelconque *nostalgie de la boue**. (Hé oui, je vous ai retrouvé malgré tous vos pseudonymes et la façon plus que détournée dont vous envoyez vos lettres et en recevez. Après tout, c'est quand même le genre de savoir-faire que vous espériez bien que j'aurais, n'est-ce pas ? N'est-ce pas parce que justement je suis ce que je suis que vous vous êtes adressé à moi en premier lieu ? N'est-ce pas pour le même type de raisons que vous vous êtes alors cru autorisé à m'insulter et abaisser comme vous l'avez fait – à tel point même que moi, maintenant, je ne puis faire autrement que de vous... Mais... passons. Chaque chose en son temps. Toujours est-il, et c'est là l'essentiel, que cela fait un bon bout de temps que je vous observe, que je repère vos petites habitudes, que je sais votre routine quotidienne, que minutieusement je vous étudie alors que vous ne vous en doutez pas, que... Tenez ! A l'instant même... Non, les desseins de M. Block, tous ces frigos remplis de doigts, tous ces nez qui traînent dans des bacs à glaçons... non, mais hé ! Rien de tout cela ne vous convient.)

Ce n'est pas que cette méthode manquerait d'attraits et ne pourrait pas servir à quelqu'un de plus décidé que vous. C'est vrai que pour être, en général, sous-instruite, la police semble avoir un respect un rien terrifié, voire mystique, pour tout ce qui, de près ou de loin, touche à la science. Surtout quand cette science est celle de l'autopsie. Donnez seulement quelque chose à faire aux « types du labo » et dans l'instant vous avez des dizaines de flics béant de la gueule autour de la table à découper. Après, bien sûr, ils s'en vont arrêter tous ceux que les résultats de ces travaux accusent – tout ça pour qu'un an plus tard, l'affaire soit d'ordinaire perdue au tribunal parce que, incapables de comprendre ce que leur racontent les experts, et aussi parce que, réagissant comme des êtres humains normalement constitués devant un pareil déferlement de faits encore plus assommants qu'agaçants, les jurés décrètent que l'accusé n'est pas coupable.

Ce qui fait que la folle méthode de M. Block a, potentiellement parlant, quelques mérites, cela n'empêchant nullement que ce qu'il vous propose là ne soit guère plus qu'une solution de type prêt-à-porter alors que vous, c'est du cousu main que vous voulez. Oui, l'« ami », c'est quelqu'un comme moi qu'il vous faut. Quelqu'un qui vous connaisse bien, quelqu'un qui sache déjà où vous habitez, quelqu'un qui, dans sa tête, ait quelque idée du costume qu'il va falloir tailler en la circonstance : le vôtre, mon « ami ».

Mais… et M. Lovesey ? Avec M. Block, c'est exact, il partage l'obsession des poils et des cheveux humains, mais en tellement plus léger que, dans le cas présent, son fétichisme ne devrait pas trop nous inquiéter du point de vue artistique. Son histoire de clés et de colle est tout à fait chou et, parfois, oui, je l'admire. Que la mort par piqûre de frelon des mers soit, ou ne soit pas, assimilable à un empoisonnement – laquelle solution vous est strictement interdite (cf. citations ci-dessus, surtout celle où ma mise en garde est la plus sévère) – pose un problème que, je dois le dire, je n'ai toujours pas résolu de manière satisfaisante. Dans tout cela néanmoins, une chose reste certaine : M. Lovesey compte encore plus sur la chance que les pires rebuts de Joueurs anonymes qui, un jour, finissent par reprendre l'avion pour Las Vegas.

Quels sont donc les prodigieux coups de chance qu'exige absolument la réussite du scénario Lovesey ? Qu'aucune de vos connaissances ne vous voie ni dans l'avion qui vous emmènera en ville avant le meurtre, ni dans celui qui vous ramènera sur vos lieux de pêche après que vous aurez appâté votre jacuzzi au frelon de mer. Qu'au laboratoire, aucun petit curieux ne vous surprenne un seau débordant de méduses à la main. Que cet après-midi-là, Blazes ne trouve rien à faire de sa voiture. Que la bonne ne vous voie pas chez vous – et ne nettoie pas le jacuzzi après votre passage.

Sauf que si, par extraordinaire, vous aviez de la chance à ce point-là, frelons des mers, champignons, *skene-dhu* et autres tranche-nichons, vous n'auriez besoin de rien pour arriver à vos fins. Il vous suffirait de laisser la fenêtre ouverte derrière la chaise où, chaque soir, votre épouse s'assoit pour manger, vous savez bien, dans l'espèce de longue salle à manger qui est la vôtre, oui, celle avec l'étrange vaisselier appuyé contre le mur ouest, pour que pfuit, une brise égarée file une irrémédiable pneumonie à madame avant même qu'elle n'aille goûter ses chocolats.

(Comment ? Évidemment que je suis entré chez vous, plusieurs fois même, pour y installer la... Mais... passons. Chaque chose en son temps.)

Sans compter que cette folle croyance en la chance n'est pas, ah, que d'optimisme là-dedans ! la seule chose – ni la pire – qu'on doive retenir contre l'idée de M. Lovesey. Pour résumer le fond de l'affaire en quelques mots, je dirai que c'est du côté de la psychologie des personnages (le vôtre et le sien) que ça cloche.

Le vôtre d'abord. Vous affirmez aller à la pêche, mais nous savons tous le genre de pêcheur que vous devez faire : vous aimez nettement plus les grosses vantardises que le travail sérieux. L'un de vos défauts les plus déplaisants – et vous n'en manquez pourtant pas, l'« ami » –, est votre tendance à la répétition : plaisanteries, bonnes blagues et astuces, tout est bon pour en rajouter. Il n'est même pas impossible que vous l'ayez remarqué vous-même : quand ce sont d'autres personnes que vous qui racontent une blague, tout le monde rit. Quand c'est vous, tout le monde serre les dents : on a déjà entendu ça quelque part.

Réfléchissez un peu. Qu'est-ce que vous dites, et à chaque coup, lorsqu'un de vos amis s'en revient d'une partie de pêche ? Vous attendez que quelqu'un lui demande : « Qu'est-ce que t'as attrapé ? » et avant même qu'il ait pu répondre, vous vous écriez : « Un rhume » – et partez d'un énorme rire de baudet pour couvrir le bruit de toutes les dents qui se mettent aussitôt à grincer. Au point où vous en êtes dans cette vie de prétentieux toujours content de lui que vous menez, vous jeter fiévreusement dans la passion de la pêche serait un appât déjà tellement gros que tout le monde vous soupçonnerait avant même que vous n'ayez fait quoi que ce soit. « Qu'est-ce qu'il manigance ? » se murmurerait-on de conserve. Et c'est là que les mauvaises blagues commenceraient à pleuvoir sans que personne ne songe à vous montrer du doigt ?

Mais, je l'ai dit, votre personnage n'est pas le seul qui interdise tellement à ce projet d'exister que le réaliser en devient impensable. Il y a aussi celui de M. Lovesey.

Pourquoi lui ? En quoi intéresse-t-il notre affaire dès après qu'il a accompli sa tâche d'expert qu'on consulte ? L'« ami », je vous invite à relire sa lettre d'un peu plus près. Avez-vous jamais vu une cupidité aussi éhontée ? Croyez-vous vraiment que cette pension annuelle qu'il vous demande le satisfasse jamais ?

Envisageons les divers cas de figure en présence. Supposons un instant que, pour tout ce qui vous touche, ce M. Lovesey ne soit pas entièrement digne de confiance. (Ne pas oublier qu'il n'éprouve aucun remords à vous faire croire, et bien aveuglément, à toutes les chances. La route aurait-elle mille virages sans aucune visibilité que jamais il ne vous dirait de ne pas la suivre en camion.) Imaginons donc qu'il ait gardé un double de la réponse qu'il vous a envoyée et en ait changé ici et là quelques mots afin que quelqu'un qui la lirait, disons : un flic (ce n'est qu'un exemple, bien sûr), pense tout soudain que vos intentions n'étaient pas uniquement théoriques, que loin de vous livrer à un petit jeu de l'esprit, vous songiez le plus sérieusement du monde à assassiner votre femme. Et imaginons encore que malgré le côté vaste plaisanterie de l'affaire, dans sa version à lui de cette lettre, M. Lovesey vous mette formellement en garde contre toute idée de jamais mettre à exécution le plan qu'il vous suggère.

On suit toujours ? Et maintenant, imaginons enfin que, malgré mes avertissements les plus clairs, vous choisissiez la méthode dudit Lovesey pour vous débarrasser de votre épouse. Tenez : la chance vous souriant à chaque virage, ça y est, un jour vous êtes le plus riche veuf que cette terre ait jamais porté.

Mais quoi ? Serait-ce là M. Lovesey qui se pointe chez vous avec une lettre qu'il se dit prêt à vous vendre… ou à remettre à la police ?

Que je vous dise, l'« ami » : Lovesey, vous ne vous en débarrasserez pas aussi facilement que de votre femme. Car vers qui, à ce moment-là, pourriez-vous donc vous tourner pour qu'on vous prête main-forte ? Pas vers ceux que vous aurez rejetés, ça, je peux vous le garantir.

Non, non. Intrin et extrinsèques, pour toutes les raisons qui soient, laissez là le frelon des mers.

Et puis, il y a quand même ce que moi, je vous ai suggéré. Que je vous rencarde sans attendre : j'ai vu votre Diana Clement et elle mérite toutes mes félicitations. L'acteur qui, dans le feu de la représentation, découvre brusquement à quel point sa propre vérité individuelle se confond avec celle de l'histoire universelle qu'il incarne ne saurait rêver plus juste amélioration du texte qu'il joue. D'un seul coup d'un seul, vous avez, en transformant Minor DeMortis en cette Diana Clement, vraiment intériorisé tout mon travail. Son histoire est la vôtre et, intensité et complexité, je ne puis qu'admirer ce surcroît de vie que vous lui avez donné.

(Vous vouliez de l'admiration, c'est vous qui le faites remarquer. Vous n'en trouverez guère dans les lignes qui vont suivre, emparez-vous donc du peu que je vous donne ici sans rechigner. Oui, j'admire énormément votre Diana Clement.)

Imaginons donc qu'un jour, quelque part, on vous trouve mort (disons : suite à un coup de sang, à un accident de voiture, enfin… vous voyez), mais sous les traits de votre Diana. Arrivent les flics, les ambulanciers, le grand patron de la morgue. Ah, la surprise ! Ah, le pandémonium ! Vous vouliez de l'art ? En voilà assurément. Ah, le rire des dieux couvrant de leur tonnerre ce drame humain ô combien quotidien et ordinaire !

Mais bon, ça recommence : voilà que je cours plus vite que ma plume. C'est que, voyez-vous, il faut que maintenant je vous explique pourquoi il vaudrait mieux que vous choisissiez ma petite solution. (Plus tard, je vous expliquerai pourquoi vous le devez absolument et pourquoi mon idée vous redonnera goût à la vie. Mais… plus tard.)

Première raison, elle est bien naturelle : mon plan est le seul qui ne présente aucune faille. Cependant, vu que la chance se mêle toujours de nos humaines entreprises (et pas toujours aussi gentiment que M. Lovesey aimerait vous le laisser penser), admettons que, suite à quelque mauvais coup du sort, ou à quelque maladresse que vous auriez commise en exécutant mes instructions, vous vous retrouviez recherché par la police, l'origine de leurs poursuites étant la fin malencontreuse de votre épouse. Que vous offre donc mon plan qu'aucun autre de vos experts n'a même seulement songé à envisager ?

La possibilité de fuir. Si tout foirait, l'« ami » vous auriez encore une porte de sortie toute préparée. Pendant que tout le monde et son fou de père s'en irait pourchasser l'époux assassin, *vous deviendriez Diana Clement.* (Côté long terme, la métamorphose en Minor DeMortis aurait été plus facile, mais votre Diana est une si belle invention que je répugnerais beaucoup à vous demander de la laisser tomber. Sans compter que vu les changements profonds qui sont déjà intervenus dans nos relations à nous, côté métamorphoses de longue durée, vous n'avez vraiment plus beaucoup de soucis à vous faire.)

En plus, et vous me l'avez abondamment et clairement fait comprendre, pour vous, la priorité des priorités est bien que le plan que vous choisirez soit du plus haut niveau artistique qui se puisse concevoir – je ne me trompe pas, au moins ? Hé bien, Monsieur, ici, non, il n'est ni coïncidences ni poils pubiens, ni flores ni faunes exotiques, ni non plus, évidemment, expéditions en des terres dangereusement étrangères. Non, il n'est ici rien d'autre que la gracieuse courbe de l'invention la plus pure qui se déploie, qu'astuce, oui, mais aussi audace, que talent, certes, mais encore technologie de pointe.

Vous traitez vous-même mon plan de « téméraire », et la témérité ne serait-elle pas la marque insigne du grand art ? L'art, c'est la transformation, l'« ami », et il ne saurait être de transformation sans témérité, sans le désir de toujours s'élever au-dessus des règles du bas piétonnier pour entrer dans les purs royaumes où la règle même n'est pas encore formalisée, où c'est l'artiste en personne qui apporte ses lois, où c'est l'artiste qui toujours est explorateur et exploration, où, oui, vous-même enfin serez et cet artiste et son chef-d'œuvre.

Telles sont toutes les raisons pour lesquelles il vaudrait mieux que vous choisissiez ma solution. Mais que je vous dise un peu maintenant, mais qu'ici je vous fasse parfaitement comprendre… je vous en prie, cessez donc de vous tortiller ainsi dans votre fauteuil, il ne va rien vous arriver pour l'instant… pourquoi choisir mon scénario, vous le devez absolument.

Le fait est que si j'ai supporté de mon mieux toutes les vilenies de votre très vilain caractère, vous êtes allé trop loin lorsque vous vous êtes imaginé de m'insulter. Vous laisserais-je vivre que je ne pourrais plus jamais me regarder dans une glace. Vous savez maintenant que je vous connais, que je sais qui vous êtes, que je sais où vous habitez et qu'aucune de vos habitudes n'a de secrets pour moi. Vous savez aussi que je suis assez malin pour vous faire la peau sans que jamais le moindre soupçon ne pèse sur moi. Mais, sachez-le, il y a aussi que maintenant j'en ai envie. (M'obliger à chercher « dipnosophiste » dans le dictionnaire ! A elle seule, cette raison eût suffi.)

Cela étant, pourrais-je, et en avoir plaisir, vous liquider ainsi avant de vous voir exécuter le superbe plan que je vous ai proposé ? Bien sûr que non. Tant que je vous verrai pousser dans la direction que je vous ai tracée afin que votre épouse y reste, je retiendrai mon bras. Mais si jamais je vous voyais vous en écarter d'un pas pour essayer l'une quelconque des solutions à la noix qu'on vous a par ailleurs suggérées, sachez-le, votre fin serait proche. Concurremment, si à un moment ou à un autre il me semblait évident que votre femme ne doive jamais y passer, je vous prie de croire que, patience et ennui infini, vous me verriez vite changer de sentiment à votre endroit.

Imaginons donc que, la peur vous aiguillonnant ainsi qu'il convient maintenant qu'à vos motifs personnels j'ai ajouté une raison ô combien impérative de tuer votre femme et de faire porter le chapeau à votre ami Blazes Boylan, vous alliez votre bonhomme de chemin (pas trop bonhomme quand même, ce chemin) et qu'une fois votre forfait accompli, vous échappiez à la justice et, content de vous, regardiez votre Blazes se faire emballer, tout hurlant, par les forces de l'ordre. Que se passe-t-il alors ? Vous exécuté-je à l'instant même où pareillement vous triomphez tandis que toujours et encore les piaulements de Blazes vous résonnent plaisamment aux oreilles ?

Bien sûr que non. Comme je vous l'ai déjà fait remarquer un peu plus haut, je suis un gentleman. Manquer d'esprit sportif n'est pas mon genre, même avec vous. Non, je vous laisserai savourer votre triomphe, pendant un certain temps.

Votre triomphe – notre triomphe, oui ! Parce que moi aussi, je le savourerai. Mes œuvres, je les ai déjà vues imprimées. Je les ai même vues portées sur la scène et à l'écran. Avec vous pour pinceau, je vais enfin voir celle-ci se peindre sur la plus grande toile qui se puisse concevoir. Et je sais que de ce moment de triomphe je peux espérer sentir toutes les douceurs pendant un long moment – long moment qu'en ce qui vous concerne je ne troublerai que par une surveillance du coin de l'œil. Je n'aimerais guère vous voir filer tout d'un coup telle la souris que, distrait, le matou a laissée s'esbigner, n'est-ce pas ? Non, non : jamais vous ne m'échapperez.

Pour finir néanmoins, les souvenirs s'estompant, c'est comme ça, inévitablement votre gloire commencera à pâlir. Le triomphe aura été vécu jusqu'à la lie. Alors, le moment sera venu d'attaquer la fin de partie.

C'est que, comme M. Block vous le laisse entendre, ce genre de choses séduit tellement que le risque est grand qu'un jour on ne puisse plus s'en passer. Sauf que ça, l'« ami », ce ne sera pas vraiment votre problème. Des mauvaises habitudes de ce genre, vous n'en acquerrez pas, hormis celle de constamment regarder derrière vous. Pendant le peu de temps que je vous laisserai.

Que je vous dise, l'« ami » : dans votre vie, rien ne vous conviendra mieux que l'instant où vous la quitterez. Car la fin que je vous réserve sera nettement plus spectaculaire que celle que vous aurez fait connaître à votre épouse. Mon œuvre d'art, ce sera vous et vous seul, et cette œuvre d'art sera autrement plus « téméraire », autrement plus ingénieuse et imparable que celle que je viens de vous suggérer pour votre épouse.

Vous vouliez être partie prenante d'un meurtre parfait, d'un quoi déjà ? d'un « chef-d'œuvre de l'assassinat » ?

Vous le serez. Pas, sans doute, dans le rôle que vous espériez, mais la belle affaire ! Vous serez en plein dedans, partie intégrante, que dis-je ? partie irremplaçable d'un superbe tableau. Comment pareilles pensées pourraient-elles manquer de vous plaire ?

Et puis... songez seulement à ce qui vous attend ! Passer des mois entiers, des années même, une ou deux, à magnifiquement lutter dans la partie la plus dangereuse qui soit ! Ah, ces derniers mois, tout épicés de dangers et de succès, que vous allez vivre ! Et tout ça pour qu'à la fin vous périssiez pour la plus grande cause d'un art que vous adorez ? Tout ça pour qu'après, votre nom immortellement soit lié au meurtre le plus somptueux, le plus inventif, le plus extravagant, le plus parfait que jamais l'on ait conçu ?

Moi, je dirais que c'est presque enviable.

A bientôt... l'« ami ».

Dernière lettre de Tim

Chers amis (et vous aussi, M. Westlake),

Voyons voir si j'ai bien pigé. Chacun dans sa bibliothèque, la moitié des membres du plus noble aréopage d'écrivains de romans policiers qui soit passerait son temps à grogner en essayant de me mettre dans son prochain bouquin – sous les espèces du cadavre, de préférence ? Dans certains milieux, je ne doute pas que, quelque part, cela soit un grand honneur. Ce à quoi nous avons vraiment affaire ? A un M. Westlake qui piétine mes plates-bandes pour mieux se hisser au sommet de mes haies dès qu'une ombre se profile à l'une de mes fenêtres. Serait-ce donc un surin, une *navaja* de Tolède, un stylet, voire un tomahawk que je vois briller dans votre main ? Le thème de ce dénouement, s'il vous plaît ? Parlerait-on gourdin… ou coup-de-poing américain ? mousquet ? escopette ? grenade ? Ou bien serait-ce une pleine tasse de poison balinais que là vous me secoueriez dessus mes parterres de fleurs ? Prenez garde, M. Westlake : vous pourriez bien vous cogner dans un Block fou furieux, un Block qui, en grinçant des dents et se tourmentant les entrailles, derrière lui traînerait lourdement sa hache. Et si, tous les deux, vous alliez tenir compagnie à MM. Lovesey et Hillerman qui, chaque après-midi, reniflent tels chiens de meute les traces de mon comptable, hein ? Mme Caudwell ? Britannique ô combien, mais tout aussi rancunière que les autres, il n'en faut pas douter, de ma mort elle fait une gâterie en m'invitant à venir à Édimbourg. Presque je vois ses serviteurs en livrée me mettre un vaste édredon dans la suite qu'elle m'a réservée au très célèbre *Bed' n' Breakfast* de Bobby Burns. Qu'on ait déjà porté mon nom sur les registres des macchabées de demain, j'en suis bien sûr. Tenez ! A l'instant même je la vois pressant, en béret et tartan, l'abominable cornemuse sur son sein – ah, illustrissime hospitalité de l'« Île consacrée par le sceptre [1] ». Mais quoi ? Me souviendrait-il donc que dans les bas de l'infâme costume, tout près de la chaussure, il serait une cache secrète, un fourreau où on planque son poignard ?

De fait, si j'hésite à vous répondre, c'est par peur de vous pousser à bout. Cela étant, à voir le dédain dans lequel on me tient (mais qu'il est léger à côté du mépris proprement olympien que tous vous avez pour vos collègues), je serais assez prêt à dire à M. Westlake de cesser de s'inquiéter pour mon dos et de commencer à surveiller le sien : Lawrence Block n'est pas mort, tant s'en faut !

Mais ah ! le ravissement que j'éprouve à vous voir vous rengorger et rouler les mécaniques. Cela me rappelle une

1. Allusion aux actes du Parlement anglais qui, marqués d'un sceptre, accordent pouvoir d'empire à ceux qu'ils honorent *(NdT)*.

histoire qu'un jour me raconta un Madden à Lexington, État du Kentucky. Maintenant les traditions familiales, il avait entraîné plusieurs pur-sang qui avaient remporté le Derby et le Preakness. Or, étalon ou pouliche, le pur-sang est notoirement capricieux. Personne, entraîneur ou jockey, ne saurait le conduire jusqu'à la piste et, tout simplement, lui ordonner de courir. Il faut, on l'assure, savoir le chauffer et, d'après mon ami, rien ne serait plus efficace que de nourrir l'animal dans une stalle où il est seul – afin, disons, que dans son équestre solipsisme la bête puisse ainsi se persuader qu'il, ou elle, est le seul cheval sur terre à boulotter une avoine aussi rare et délicieuse et que tout le reste de l'espèce, qui sait ? crève de faim alors que, luxe suprême, lui, ou elle, il enfouit son museau dans son sac à picotin. Et le jour de la course, d'ouvrir le volet supérieur de sa porte… et de le nourrir au milieu de tous ses copains et copines afin que, horreur, il, ou elle, éprouve la morsure de l'égalité. Car, hélas, serait-il plus grande torture que celle-là ? Mais Dieu ! ce qu'alors on peut cavaler, chacun puisant à mort dans sa bile, chacun rongeant son frein et avalant son mors pour dépasser le voisin alors même que, peut-être, tout ce labeur n'est que pauvre effort que l'on fait pour fuir la douloureuse compagnie d'autrui. Mon ami Madden, lui, toujours me disait éprouver une euphorie un rien perverse lorsque, au matin de la course, le moment était enfin venu d'ouvrir les volets de nos coureurs. Je sais aujourd'hui que c'est pur bonheur.

C'est que mon épreuve m'a donné une bien belle équipe de gagneurs ! Cinq solutions possibles, que j'ai maintenant, et toutes sans faille ou presque. Quoi de plus rude à supporter, je vous prie, qu'un plein sachet de poils pubiens ? De plus excessif que de frapper à coups de *Chironex fleckeri* ? De plus complexe que de s'inventer un alter ego ? De plus exotique que de recourir au *skene-dhu* ? De plus finement psychologique que de s'avouer coupable d'entrée de jeu ? Que l'amateur s'étonne qu'on puisse même seulement songer à les exécuter jusqu'au bout n'empêche pas qu'il s'agisse là de solutions qui, toutes, sont en elles-mêmes de véritables chefs-d'œuvre. J'aimerais ici pouvoir vous donner à tous le ruban blanc du vainqueur et vous remercier du plus profond de mon cœur, mais quoi ? Il faudrait que d'autres acceptent de n'avoir droit qu'aux rubans bleus de l'accessit et… mais voilà que j'anticipe.

En tant qu'artiste, car l'artiste suprême, là-dedans, c'est moi, jamais je ne pourrai vous dire la joie que je ressens à lire vos suggestions, à tenir entre mes mains toutes vos productions. Tenez, même en ma qualité d'employeur, que je suis heureux ! De fait, je ne vous parle de mon état présent que pour bien vous faire éprouver le ravissement encore plus intense qui me vint lorsque enfin j'en eus terminé avec… comment dire ? la deuxième manche ? Et je ne fais pas ici seulement allusion à la bestialité dont vous témoignâtes dans vos réponses. (Et moi qui croyais jadis que l'infâme critique de théâtre du *New York* était vilain au possible ! Un pauvre petit M. Rogers[1] de la prose imprimée, qu'il est, ce monsieur,

1. Animateur particulièrement gentil d'une série télévisée pour enfants en bas âge *(NdT)*.

à côté de n'importe lequel d'entre vous dans son état le plus amène.) Cela étant, que nous ayons ou n'ayons pas réussi à insuffler quelque vie au cadavre qu'est aujourd'hui devenu l'assassinat considéré comme un des beaux-arts (à l'heure qu'il est, cela ne dépend plus que de moi) n'empêche pas que nous ayons fait mieux que cela, que oui, nous ayons créé quelque chose qui, pratiquement, sauvera à jamais mon propos original. Nous avons en effet non seulement inventé ce que l'on pourrait appeler la critique littéraire du meurtre, mais encore, et c'était pourtant une tâche bien ardue, nous avons commencé à jeter les fondements esthétiques de cette science. Il m'arrive même d'imaginer certain candidat au titre de docteur ès crime déconstruisant dans quelques siècles (cela vaudrait mieux pour vous) tout ce que vous m'avez écrit pour mieux faire apparaître les premiers éléments de vos diverses sensibilités.

Tout de suite, je le pense, il en est un qui émerge. Car vos critiques, cela m'a frappé, sont plus que cohérentes et répétées sur un point. Tous à tour de rôle vous avez en effet subi les assauts de concurrents qui sans discontinuer vous reprochent de trop faire confiance au hasard – horaires d'avions de Lovesey, magnétophone de Caudwell, club de tir au pistolet de Westlake, inspecteur de police aussi têtu que soupçonneux d'Hillerman, fausse piste de micro-preuves imaginée par Lawrence Block. C'est qu'il est toujours une mesure d'ineffable dans le meurtre qui est grand et je pense, moi, que c'est même là, dans le simple fait que tout brusquement se met à coller, que réside ce que j'appellerai le *sine qua non* de tout assassinat qui tend au génial : tout marchera, on en est persuadé. Ils sont des centaines à avoir peint des plafonds de cathédrales à la Renaissance. Mais seul on voit Michel-Ange sur son échafaudage : certes, il devait bien craindre de temps en temps que son plan monstrueux, que son projet d'un épique proprement arrogant à la fin ne se résume à un assemblage criard de péquenauds polychromes (regardez ça d'en bas, la perspective, de si loin, est tout autre), que ramassis de bas lumpen qui louche et a des plis qui pendouillent dans le cou, mais comment n'aurait-il pas pu croire, et follement, en son idée, se dire que, chaque image étant plus forte de celle qui la jouxte, l'ensemble, au bout du compte, constituerait une des plus belles fresques qui soit au monde ? Les savants d'aujourd'hui dénomment *contingence* ce phénomène qui veut qu'importantissime concaténation d'éléments fortuits, à la fin tout se mette en place. On m'assure – les philosophes et poètes mystiques orientaux le disent – que ce serait là l'origine du sourire du Bouddha, et Dieu ! qu'il est serein !

Or donc, il faut tout simplement, je le pense, croire que ça va marcher – croire que, ce jour-là, les avions décolleront à l'heure, que le foutu magnéto s'enclenchera quand on poussera sur le bouton, que Blazes s'affiliera au club de tir en temps utile, que l'inspecteur de police reniflera le truc qui cloche dans l'aveu un rien trop beau, qu'une fois grossis dans les labos dernier cri de la morgue nos petits poils pubiens seront gigantesque boulevard conduisant à l'ami Boylan. On pourrait presque avancer qu'au fond, l'esthétique du meurtre est celle de la contingence – la beauté du hasard. N'est-il pas dans le juste ordre des choses qu'un art qui aspire à des idéaux aussi élevés toujours doive transcender l'esthétique d'artisanats dont l'objet est tout différent ? Comme si l'on pouvait désirer un art dont la beauté fût entièrement sous le contrôle de l'artiste ! Comme si l'on pouvait vouloir un beau qui, à tout coup atomisé, serait ensuite passé au tamis de techniques catégorielles pour devenir le sujet de séminaires plus que soporifiques, genre convention annuelle des doctes professeurs qui rédigent les minutes de la dernière séance de l'Association des langues modernes ! Ah, exigeons plutôt une esthétique que toujours guident la main exigeante de l'artiste et celle, toute tremblante, du destin qui toujours ainsi se fonde sur le talent et sur la foi. Moi, j'aime bien.

Je devrais peut-être trembler à l'idée d'oser vous écrire cette lettre. Mais, comme je vous l'ai déjà dit, tous autant que vous êtes, vous craignez encore plus vos concurrents que moi je ne vous redoute. Il y a plus : tous autant que vous êtes encore, je ne vous vois pas mettre réellement à exécution ce que, très confortablement, j'ai, moi, décidé d'accomplir : un meurtre aussi sombre qu'il est sinistre. Oh, certes, vous avez tous le génie qu'il y faudrait (et mes emprunts seront de taille, merci, merci), et aussi toute la rage qui convient, mais tous, oui, tous, vous manquez de l'arrogance qui de la machine à écrire vous ferait passer au couteau. Telle était bien la différence qu'il y avait entre, disons : Boswell et Johnson.

Il est une autre raison qui fait que, menace de mort ou menace de publier cette correspondance, je n'ai pas grand-chose à craindre de vous. M. Hillerman m'informe qu'il aurait fait tirer des copies de mes notes imbibées d'acide. Tiens donc ! Et que pensez-vous que j'aie fait des siennes ? Croyez-vous que je les aurais laissées se décomposer tranquillement dans un classeur ? Vous menacez de révéler que je suis un assassin. Mais j'en suis un et la révélation ne serait pas bien grande. Par contre, je pourrais très bien, moi, vous dénoncer comme complices – ce que, pour l'instant, vous n'êtes pas encore. Non, non. Vous croyez tous, et du plus profond du cœur, que les lauriers de l'immortalité vous attendent et disons qu'effectivement ils vous attendent – vous aurais-je même écrit s'il en était allé autrement ? Cela étant, songez un peu à ce qui se passerait si d'aventure vos belles réputations se mettaient à puer l'odeur du meurtre. Vous savez tout aussi bien que moi à quoi fonctionnent les médias. Entre la gloire et la notoriété, ce n'est point la télévision, qui en est la locomotive, qui fera la différence. Dans l'instant, tous vous perdriez le précieux qualificatif que vous avez passé votre vie entière à faire accoler à votre nom : « Oh, Caudwell ? Lovesey ? Block ? Westlake ? Hillerman… *l'écrivain* ? » Que se passerait-il si, au lieu de cela, on entendait soudain la basse foule de vos fans se mettre à grommeler : « Vous voulez dire… celui qui s'est fait piquer dans ce célèbre meurtre ? » Pensez donc : votre réputation ne plus être qu'un sous-produit de la mienne !

Non, point je ne m'inquiète. Le manteau qui me protège est plus durable que le bronze, mon bouclier autrement plus solide que tout le pauvre armement des réserves du Pentagone. C'est qu'entre moi et le mal qui pourrait me frapper se tient, immuable, l'ego qui vous anime.

Voilà pourquoi je ne pense pas que vous vous attendiez vraiment à recevoir, avec mes plus grands remerciements, le ruban bleu de la victoire. A le faire, je manquerais d'esprit sportif et plus encore de courtoisie. Comment pourrais-je vous dire la solution que j'aurais retenue avant de l'avoir mise à l'épreuve ? Vous ne me tueriez peut-être pas, mais essayer de me casser la baraque, je sais bien que vous pourriez avoir envie de le faire. Et je devrais, moi, y compter absolument. Non : à l'occasion, il vous faudra seulement vérifier dans les journaux et les revues (les meilleurs, je vous le rappelle : on ne s'occupe pas des feuilles de chou, s'il vous plaît – cette histoire est bien trop subtile pour même effleurer l'esprit des rédacteurs en chef qui y sévissent). Faites-moi confiance : manipuler les médias est, depuis longtemps, un de mes passe-temps favoris. En attendant, allez en paix : toutes vos lettres, je vous l'assure, ont été reproduites sur de l'excellent papier. A relire vos missives à mes moments perdus, et à me redire la noblesse d'un art épistolaire qui fait partie de nos plus grandes traditions littéraires, je me suis même pris à penser – chacune de vos lettres était si belle ! – que peut-être il conviendrait de les soumettre à l'une de nos meilleures maisons d'édition. Je sais que cela comporte des risques, mais bon… pourquoi pas ? Le deuxième millénaire est-il donc si éloigné ?

TRANSCODAGE : ATELIER PAO ÉDITIONS DU SEUIL
IMPRESSION : SEPC À SAINT-AMAND (CHER)
DÉPÔT LÉGAL : OCTOBRE 1993. N° 18289 (2237)

Dans la même collection

Brigitte Aubert
Les Quatre Fils du docteur March
La Rose de fer

Michael Connelly
Les Égouts de Los Angeles

Dan Greenburg
Le Prochain sur la liste

Anthony Hyde
China Lake

David Ignatius
Nom de code : SIRO

Paul Levine
L'Héritage empoisonné
Cadavres incompatibles

Elsa Lewin
Le Parapluie jaune

Herbert Lieberman
Nécropolis
Le Tueur et son ombre

Michael Malone
Enquête sous la neige
Juges et Assassins

Kyotaro Nishimura
Les Dunes de Tottori

Sam Reaves
Le taxi mène l'enquête

Edward Sklepowich
Mort dans une cité sereine

L. R. Wright
Le Suspect
Mort en hiver

A paraître

Michael Pearce
Enlèvements au Caire